Chinoiseries
de Claude Jasmi
est le huit cent trente-huitiè
publié chez
VLB ÉDITEUR.

La collection « Roman »
est dirigée par Jean-Yves Soucy.

VLB éditeur bénéficie du soutien de la Société de développement des entreprises culturelles du Québec (SODEC) pour son programme d'édition.

Gouvernement du Québec – Programme de crédit d'impôt pour l'édition de livres – Gestion SODEC.

Nous reconnaissons l'aide financière du gouvernement du Canada par l'entremise du Programme d'aide au développement de l'industrie de l'édition (PADIÉ) pour nos activités d'édition.

Nous remercions le Conseil des Arts du Canada de l'aide accordée à notre programme de publication.

CHINOISERIES

DU MÊME AUTEUR

La corde au cou, roman, Montréal, Cercle du livre de France, 1960.
Délivrez-nous du mal, roman, Montréal, À la page, 1961.
Blues pour un homme averti, théâtre, Montréal, Parti pris, 1964.
Éthel et le terroriste, roman, Montréal, Librairie Déom, 1964.
Et puis tout est silence, roman, Montréal, Éditions de l'Homme, 1965.
Pleure pas, Germaine, roman, Montréal, Parti pris, 1965.
Roussil. Manifeste, interview et commentaires, Montréal, Éditions du Jour, 1965.
Les artisans créateurs, essai, Montréal, Lidec, 1967.
Les cœurs empaillés, nouvelles, Montréal, Parti pris, 1967.
Rimbaud, mon beau salaud!, roman, Montréal, Éditions du Jour, 1969.
Jasmin par Jasmin, dossier, Montréal, Claude Langevin éditeur, 1970.
Tuez le veau gras, théâtre, Montréal, Leméac, 1970.
L'Outaragasipi, roman, Montréal, L'Actuelle, 1971.
C'est toujours la même histoire, théâtre, Montréal, Leméac, 1972.
La petite patrie, récit, Montréal, La Presse, 1972.
Pointe-Calumet boogie-woogie, récit, Montréal, La Presse, 1973.
Sainte-Adèle-la-vaisselle, récit, Montréal, La Presse, 1974.
Danielle! ça va marcher!, reportage, Montréal, Stanké, 1976.
Feu à volonté, recueil d'articles, Montréal, Leméac, 1976.
Le loup de Brunswick City, roman, Montréal, Leméac, 1976.
Revoir Éthel, roman, Montréal, Stanké, 1976.
Feu sur la télévision, recueil d'articles, Montréal, Leméac, 1977.
La sablière, roman, Montréal/Paris, Leméac/Robert Laffont, 1979.
Le veau d'or, théâtre, Montréal, Leméac, 1979.
Les contes du sommet bleu, contes, Montréal, Quebecor, 1980.
L'armoire de Pantagruel, roman, Montréal, Leméac, 1982.
Maman-Paris, Maman-la-France, roman, Montréal, Leméac, 1982.

suite à la page 261

Claude Jasmin

CHINOISERIES

roman

RETIRÉ DE LA COLLECTION
DE LA
BIBLIOTHÈQUE DE LA VILLE DE MONTRÉAL

vlb éditeur

VLB ÉDITEUR
Une division du groupe Ville-Marie Littérature
1010, rue de La Gauchetière Est
Montréal (Québec) H2L 2N5
Tél.: (514) 523-1182
Téléc.: (514) 282-7530
Courriel: vml@sogides.com

Maquette de la couverture: Anne-Maude Théberge

Catalogage avant publication de Bibliothèque et Archives Canada

Jasmin, Claude, 1930-
Chinoiseries
(Roman)
ISBN 978-2-89005-974-0
I. Titre.

PS8519.A85C54 2007 C843'.54 C2006-942130-7
PS9519.A85C54 2007

DISTRIBUTEURS EXCLUSIFS:

- Pour le Québec, le Canada et les États-Unis:
LES MESSAGERIES ADP*
955, rue Amherst
Montréal (Québec) H2L 3K4
Tél.: (514) 523-1182
Téléc.: (450) 674-6237
*Filiale de Sogides ltée

- Pour la Belgique et la France:
Librairie du Québec / DNM
30, rue Gay-Lussac
75005 Paris
Tél.: 01 43 54 49 02
Téléc.: 01 43 54 39 15
Courriel: direction@librairieduquebec.fr
Site Internet: www.librairieduquebec.fr

- Pour la Suisse:
TRANSAT SA
C.P. 3625
1211 Genève 3
Tél.: 022 342 77 40
Téléc.: 022 343 46 46
Courriel: transat-diff@slatkine.com

Pour en savoir davantage sur nos publications,
visitez notre site: **www.edvlb.com**
Autres sites à visiter: www.edhexagone.com • www.edtypo.com
• www.edjour.com • www.edhomme.com • www.edutilis.com

© VLB ÉDITEUR et Claude Jasmin, 2007
Dépôt légal: 1er trimestre 2007
Bibliothèque et Archives nationales du Québec, 2007
Bibliothèque nationale du Canada
Tous droits réservés pour tous pays
ISBN 978-2-89005-974-0

À feu mon oncle de Chine, Ernest

1

Le vieil homme marche lentement vers le petit square, son médecin ne parle plus, il en a assez dit tantôt, c'est clair : il est fini. Il a reçu les résultats des derniers examens. Oui, il est fini. Il a dit : « Profitez bien du temps qui vous reste. » Le vieil homme n'en revient pas. Tout a passé si vite. Il lui reste à tenter de penser à autre chose. À quoi ? Le vide. Le vertige. Les collines tout autour montrent de gigantesques pots de fleurs, bouquets flamboyants, des rouges, des jaunes, paysage sang et or. « Mon dernier automne », pense-t-il.

Le médecin le quitte avec, deux fois, « bon courage ».

Il se sent très seul, marche vers sa voiture. Sur un poteau de cèdre, il lit : « PERDU : CHATTE TOUTE BLANCHE AVEC COLLIER ROUGE. RÉCOMPENSE. » Envie de barbouiller l'affichette, y mettre : « PERDU : MA VIE. RÉCOMPENSE. »

À quoi penser ? Arrêt au seul feu du lieu, dans cette rue principale du village ; le vieil homme condamné voit un petit magasin avec sa vitrine remplie de chinoiseries. On klaxonne. Il rêvassait. Se secoue.

l'enfant est heureux, il jubile même, il aime le fleuve

il s'est assis à un des quais, son petit banc de tôle noire déplié sous le beau soleil de ce lundi matin il a mis sa culotte de toile kaki, un pantalon court pour jeunes scouts qui lui vient d'un cousin grandi trop vite, qui a quatre poches en avant, deux en arrière, utiles pour y fourrer ses effets : canif à quatre lames, des billes, son yo-yo, une loupe

il se voit en explorateur et a mis le chapeau de carton bouilli offert par un oncle, un chapeau d'explorateur bien rond, à rebord jauni, il en est fier

il tient solidement sa canne à pêche aux dragons dorés chinois gravés sur le moulinet

il regarde partout, à l'est, sur le cadran de la tour, il lit l'heure, il sait lire, son père lui a aussi appris à décoder les chiffres romains

il aura six ans cet automne, il entrera à l'école de son quartier, il peut déjà lire les longues phrases de son livre de contes à caractères gras, bien noirs

il sait les chiffres aussi, jusqu'à cent, son père lui a enseigné ces éléments scolaires à partir du livre de sa grande sœur qui va à l'école, qui est en deuxième année

il est dix heures du matin, à mesure que le soleil grimpe dans le firmament l'eau du fleuve devient d'un drôle de vert, très sombre

l'enfant guette la morsure d'un poisson à son hameçon,

avant de partir sa mère lui a dit qu'elle serait bien heureuse qu'il apporte à manger...

est-ce bon pour la pêche ce vent fort soudain ? l'enfant se questionne

le vent nouveau fait rouler partout des papiers sales sur le port

en chantant très fort, deux jeunes marins entrent dans une taverne derrière lui dans la première rue très fortes vagues maintenant et l'enfant regarde danser, ancrés à une des jetées, deux bateaux de cabotage, il ajuste son chapeau, vérifie sa ligne, toujours rien, il la remet dans l'eau glauque et refera le geste, deux, trois, quatre fois

il est impatient

le soleil illumine tout maintenant, fait des ombres très noires, le gamin cligne des yeux quand il lève la tête : deux gros oiseaux blancs viennent tourner au-dessus de lui, est-ce bon signe ? y aura-t-il bientôt un poisson au bout de sa canne ?

depuis la fin de mars, son père vient souvent installer son jeune gamin au bord de l'eau, le temps de faire ses courses, ses achats, ils prennent d'abord un tramway vers le bas de la ville, trajet d'une trentaine de minutes, le père va payer les taxes municipales pour son magasin, puis visite des commerçants chinois, importateurs utiles pour son commerce

Thés, Cafés, Épices, Bibelots exotiques, peut-on lire sur ses deux vitrines et l'enseigne de bois gravé suspendue au-dessus de son auvent

l'enfant ne l'a pas vu arriver : un vieil homme en coupe-vent bleu acier s'est installé dans une chaise pliante et lui jette des regards furtifs

il lance, avec des gestes très lents, des croûtons aux oiseaux

l'enfant est intimidé car cet inconnu semble l'observer, il a cru le voir lui sourire mais il doit se méfier des étrangers, on lui répète tant qu'il y a des grandes personnes mal intentionnées qui veulent entraîner des jeunes enfants dans le mal assis pas bien loin, le vieux lanceur de croûtons, comme ratatiné dans son coupe-vent de toile bleu acier, lui a parlé

le gamin n'a rien entendu

c'est étrange, l'étranger en bleu n'avait pas de voix

il a pu lire sur ses lèvres ce qu'il lui répète : « … Il y a si longtemps, tu ne me connais pas… Il y a si longtemps… »

l'enfant a détourné la tête, gêné, embarrassé

quand il a voulu mieux le voir, l'homme en bleu n'y était plus

disparu, subitement, il est nulle part, fantôme, illusion d'optique

le gamin change encore de leurre, descend à nouveau sa ligne dans l'eau

il sursaute et se lève d'un seul bond, horrifié : il y a un poupon qui flotte sur le dos pas loin du quai, un bébé noyé dérive, vient cogner contre le mur de béton, s'éloigne, revient

l'enfant a envie de crier, il regarde autour de lui, des matelots, des débardeurs travaillent, ils ne voient rien de ce qu'il voit, ce petit cadavre, là, presque à ses pieds, les yeux blancs sans regard, ballotté par la houle

c'est affreux, son linge taché de bleu est déchiré, il glisse sur le dos, ses minuscules bras ouverts, la vague le brasse, le berce

l'enfant pêcheur en est paralysé de peur, stupéfait, muet, figé

il voudrait crier mais rien ne sort de sa bouche qui se tord, ce bébé noyé ressemble à son petit frère qui est venu au monde il y a deux mois, lui qui était « le seul garçon de la famille », il y en avait maintenant « un autre » à la maison

cela ne lui a pas fait plaisir au début, il avait souhaité qu'il disparaisse, qu'il retourne vite d'où il était venu, il ne savait pas trop où, il avait formulé des vœux dans ce sens, une folie, il avait eu honte de sa jalousie

maintenant de gros nuages cachent le soleil, est-ce un signe funeste ? il a vite retiré sa ligne, s'il avait fallu qu'il accroche ce poupon à son hameçon, mon Dieu !

le petit noyé s'éloigne rapidement, entraîné par un fort courant, l'enfant est bien débarrassé de cette affreuse vision, il grimace d'horreur, il a des larmes aux yeux, ce bébé mort dérive maintenant vers la coque d'un bateau amarré à l'ouest

enfin sorti de sa torpeur, l'enfant fait des signes, des gestes véhéments, répète des « Regardez ! Regardez ! », il veut alerter deux débardeurs pas bien loin, crochets sous le bras, qui se roulent des cigarettes en riant, assis sur une lourde caisse

enfin, enfin, les hommes du port voient ce flotteur macabre qui dérive vers eux, ils se lèvent, s'emparent de deux gaffes de métal, attrapent rapidement la chose barbouillée de bleu, la sortent de l'eau, osent rire

mais… qui est-ce ? d'où sort cette vieille femme vêtue de noir qui s'approche des travailleurs ?

un marin court vers elle avec le petit noyé, le lui offre

la femme l'enveloppe aussitôt dans sa longue écharpe blanche, remercie les secouristes, s'en va d'un pas clopinant, entre dans ce bureau de poste voisin

près de la porte, il lui semble revoir cet homme au coupe-vent bleu

il jette des croûtons encore

les débardeurs ont repris l'ouvrage, déchargent des colonnes de boîtes empilées dans un camion venu se stationner

ça ne peut pas être son petit frère, comment cela aurait-il pu arriver ? quelle sorcière inconnue aurait pu oser faire se réaliser ce souhait méchant, cette niaise envie de rester « le seul garçon » parmi trois sœurs ?

rapidement les nuages s'éloignent, le soleil resplendit de nouveau, l'enfant a remis sa ligne à l'eau

il y repense sans cesse, avoir souhaité ce « Pas d'autre garçon dans la famille », comme il regrette maintenant cet inavouable désir, arrivera-t-il chez lui et verra-t-il sa mère affolée, versant d'abondantes larmes, criant : « On m'a volé mon petit bébé dans sa voiturette sur le balcon » ?

sa mère qui répète souvent : « Ça existe, cela, oui, oui, on lit ça dans les gazettes, il y a des voleurs d'enfants. »

il a observé sa mère qui sortait sans cesse sur le perron comme pour vérifier si le petit frère dormait toujours emmailloté dans son linge bleu, il l'imagine qui s'arrache les cheveux, en transe, au bord de la folie, se mordant les poings

il a honte de lui

pour se changer les idées, il sort sa ligne et y pose un leurre plus brillant avec des petites plumes rouges et jaunes

il regarde l'heure à la tour du quai de l'horloge, midi bientôt, ce sera donc le retour de son père

encore bouleversé, il le souhaite, le voici justement

le père marche très vite avec, au bout d'un bras, une boîte

il lui fait de grands signes, il lui sourit

l'enfant rasséréné ramasse tout, replie son petit banc, referme son coffre d'agrès

énervé, il raconte en bafouillant ce qu'il a vu, mais son père tente de le calmer, lui redit qu'il a fait une sorte de rêve éveillé, un cauchemar, que c'est la faim peut-être ou le soleil qui tape trop fort, il lui parle de certaines récentes mauvaises nuits, de ses accès de somnambulisme parfois

« Tu le sais bien, ça »

l'enfant marche d'un pas hésitant, son petit banc de tôle dans une main, dans l'autre sa canne de bambou et son coffret, il sait qu'il n'a pas rêvé

perturbé, il raconte encore, répète « le bébé noyé, les sauveteurs, la vieille femme en noir, le bureau de poste »

son père presse le pas, ne dit plus rien

trams bondés qui virevoltent au terminus central, quelques rues au nord du port

le père et son fils y montent, une fois assis le gamin ose lui parler de la ressemblance de ce noyé avec le petit frère nouveau-né, cette fois son père le gronde durement : « Ça suffit, tu as trop d'imagination, mon petit garçon, c'était une grosse poupée sans doute. Maladif, ça, de transformer un incident banal en histoire d'enlèvement et de meurtre, très malsain ! »

l'enfant boude, se lève, va s'asseoir plus loin sur un banc libre, ferme les yeux, ferme les poings, revoit les petits bras levés, les yeux blancs, les cheveux blonds frisés mouillés, le linge déteint

fâché, il ouvre et referme son banc de tôle noire, ouvre et referme les taquets du coffre aux agrès, donne de violents coups de talon sur le rebord du siège d'osier

il parle tout seul, répète des « J'suis pas fou, je l'ai vu, je l'ai bien vu, j'ai vu cette vieille qui l'enveloppait, j'suis pas fou… »

le père va s'asseoir à ses côtés, le gronde encore mais plus doucement, il en rit même et l'enfant finit par se calmer, regarde le défilé des maisons, les escaliers tirebouchonnant, des piétons pressés, des enfants qui s'agitent dans une corde à sauter, le cheval brun chocolat d'un boulanger, celui d'un laitier d'un blanc sali…

il se calme, et puis veut en parler encore mais non, il se mord la langue, il ne dira jamais plus rien, à personne, il gardera pour lui ses secrets, il a sa leçon : on ne croit jamais les enfants

plus tôt, avant le terminus, le père avait voulu faire sa brève visite, comme rituelle, dans une chapelle qu'il affectionne, au bord de l'eau

le gamin y a revu la grande statue de la Vierge juchée sur le dôme, ses bras ouverts vers le fleuve

« C'est l'église des matelots », lui a redit son père, ils sont entrés le temps d'une courte prière et l'enfant a prié pour son petit frère, qu'il soit là, bien vivant quand ils reviendront à la maison tantôt, l'enfant a de nouveau admiré ces luminaires en bateaux miniatures suspendus dans les allées avec des lampions comme cargaison, il y avait quelques vieilles personnes agenouillées dans la nef, le gamin observait ces lèvres ridées remuantes, ces chapelets pendus aux jointures des doigts crochus, ces têtes baissées, il se rappelait ce vieil homme au coupe-vent bleu apparu soudainement à ses côtés, qui lui a parlé mais sans voix : « … Il y a si longtemps, tu ne me connais pas, il y a si longtemps… »

cela le rendait triste, puis il crut revoir dans l'église cette femme qui avait recueilli le bébé noyé

il tira la manche de son père, lui montra du doigt cette vieille femme sous la lampe centrale du sanctuaire,

« C'est elle, papa, la vieille au bébé noyé », le père se fâcha de nouveau, se leva et l'entraîna dehors d'une solide poigne : « Vas-tu finir par oublier ton histoire de fou, oui ou non ? »

dans le tram, le conducteur se racle la gorge pour s'écrier : « Prochain arrêt, Rosemont. Next stop, Rosemount. »

quatre coins de rue plus au nord, leur tour de descendre

l'enfant retrouve vite son calme, car il voit sa mère sur le balcon, avec, dans ses bras, le petit frère aux yeux bleus, aux cheveux blonds

le bébé de la famille n'est donc pas mort, il n'y a eu aucun enlèvement, la vie est belle, le soleil peut luire à fond

le chien du notaire vient lui tourner autour, jappant de plaisir, ses deux grandes sœurs rentrent de l'école, chantonnant un air familier, sa mère lui enlève son chapeau d'explorateur, « Pas grave mon garçon si tu n'as rien pris, on a du jambon et des saucisses fraîches avec du chou comme tu aimes »

il va s'installer à sa place sur le long banc de la cuisine

au dessert, c'est plus fort que lui, l'enfant dit à son père : « Le petit noyé du port, papa, il avait les yeux blancs comme vides. »

son père, la bouche encore pleine, lui mâchouille : « Tu m'as parlé de taches bleues sur son linge trempé, c'est à cause de ses yeux qui s'étaient dépeinturés, est-ce que tu comprends ? »

après le repas, sur le perron d'en avant, le gamin regarde défiler les automobiles, il aimerait tant que son père se procure une voiture, ils voyageraient partout ensemble, ils iraient loin, très loin, juste tous les deux, l'enfant ferme les yeux, il est rendu en Chine et un barbier ambulant, comique, Pao, s'active

il rêve

un bruit de ferraille familier le réveille, tramway qui file en grinçant sur ses roues métalliques, à genoux sur sa banquette, derrière une fenêtre du tram, une fillette lui fait en riant de vigoureux saluts

il y répond

de l'autre côté de la rue, une voix de femme tonne: « Marc, ton sac! Ton sac, Marc! Ton sac! »

sur son balcon, une voisine parle doucement avec sa grand-mère à l'étage: « Est-ce qu'il reviendra de sa Chine un jour, votre grand garçon missionnaire? », l'enfant n'entend pas la réponse

sa grand-mère est toujours malade, et si vieille, qu'un jour elle n'aura plus de voix du tout, songe-t-il

il va regarder le petit frère qui joue avec un hochet bleu dans sa voiturette, il l'examine, il espère qu'il vivra très longtemps, qu'il grandira

il finira par lui faire un petit compagnon de jeu, non?

il entre, marche dans le couloir vers la cour d'en arrière, il grimpe sur une poubelle, tire sur la corde à linge qui grince

ses deux grandes sœurs sont reparties pour l'école, sa mère le chasse et étend du linge, grincements d'une poulie chez la voisine, c'est lundi

il rentre, l'évier est rempli de vaisselle salie, silence dans la maison, la porte d'en avant est restée ouverte, courant d'air frais, de loin, il entend encore: « Marc, ton sac! Ton sac, Marc! »

retourné sur le balcon d'en avant, il voit sa sœur cadette qui fait des tresses à sa poupée à la peau noire, toute petite poupée, rien à voir avec la grosse qui dérivait dans le fleuve

son père dit qu'il part pour son magasin de chinoiseries et fait voir à sa mère un souriant bouddha de porcelaine blanche : « Il est beau, hein ? Ça va se vendre très vite, je l'ai déniché chez Wong et devine combien il m'a coûté ? »

sa mère ne dit rien, lui donne une poussée : « J'ai ma vaisselle à laver, ne rentre pas trop tard, ta vieille mère va garder les petits, il y a un bon film au Château. »

l'enfant la suit : « Maman, on m'a dit qu'il y a un bain public pas loin d'ici, pourquoi on irait pas se baigner là ? »

sa mère le regarde : « Tu as l'air drôle, mon petit bonhomme, il ne s'est rien passé de spécial là-bas au bord de l'eau ? »

il ne dit rien, pas un mot, il a eu sa leçon, il répète : « On pourrait pas y aller à cette piscine, j'apprendrais à nager ? »

elle dit : « Non, c'est trop profond pour toi, plus tard, quand tu iras à l'école. »

l'enfant va dans la cour, s'empare de sa toupie multicolore qui traînait sous le hangar et, en faisant crisser le ressort de son engin, le gamin songe que s'il tombait à l'eau au port, ce serait bien qu'il sache nager mais les grandes personnes, les parents, c'est toujours « non » et « quand tu seras grand »

zut !

2

le vieil homme a mis son coupe-vent bleu acier, vêtement pratique, imperméable, avec isolation garantie pour toutes saisons, blouson si léger, il en ajuste le capuchon, monte dans sa bagnole et file vers l'hôtel voisin, pour la piscine

il y vient presque chaque après-midi depuis un mois, nager durant trente, quarante minutes maximum

le vieil homme a toujours aimé l'eau

cette piscine d'hôtel est son seul lieu d'exercice depuis cet ultimatum médical, à une clinique du village, en janvier dernier : « Soyez averti, mon ami, rien ne va s'améliorer, faites de l'exercice. »

il l'aime bien ce médecin qui se méfie de la médecine et qui déteste les produits pharmaceutiques, qui estime le naturisme et surtout le bon sens

le vieil homme n'aime pas les « centres de conditionnement » à la mode, il devine que ces « clubs » ont des plans, des programmes, qu'on y trouve une certaine surveillance

besoin de se tenir loin de ces appareils sophistiqués, de ces gadgets à minuteries réglables, tapis roulant, vélo à moteur, haltères à mesurer, non, jamais

jeune, ce vieil homme n'a jamais toléré, à moins d'y être forcé, les instructeurs de ceci ou de cela, les dévoués moniteurs, les zélés motivateurs, les instructeurs « spécialisés »

il a tant détesté, plus jeune, ces envoyés spéciaux, spécialistes en tous genres, avec projets d'organigrammes prétentieux et hiérarchies modernistes, leurs trucs logistiques, la sacrée rationalisation, « améliorer la production », ô le rendement

toute cette faune d'encourageurs patentés, stipendiés

il a un tempérament d'anarchiste, ce qui l'a privé parfois de certaines commodités, aussi de « renforcements positifs » – c'est selon le jargon popularisé des psys –, refus obstinés qui l'ont aussi privé de chances d'avancement au long de cette carrière de *scribe*

d'abord journaliste, puis écrivain, devenu vieux, « rédacteur à commandes » et scripteur à gages qui a fini par se muer en chroniqueur, radio et télé

dans la piscine de l'hôtel, le vieil homme nage en paix, librement, un réel plaisir, pas un pensum, pas du tout

ces visites lui permettent d'observer tout un monde, celui des voyageurs pressés et des vacanciers pas pressés, des touristes venus d'horizons variés, celui des hordes de « congressistes » aux bannières commerciales de toutes sortes, enfin, il y voit, moins nombreux, le monde des villageois, des abonnés comme lui

il compte, quinze, seize… il veut faire une trentaine de longueurs chaque fois qu'il vient ici

voici son familier Bouddha, si gras, cheveux gris, couronne frisée au-dessus des oreilles, Bouddha fait des efforts énormes pour se glisser dans l'eau, grimaces comiques, à le voir on dirait qu'il doit entrer dans de la lave bouillante :

« Mes vieux os me font horriblement souffrir, savez-vous ça ? »

le vieil homme avait cru que tant de graisse protégeait

une jeune et jolie gardienne, Short Rouge, qui grimpe dans une petite échelle pour nettoyer un grand hublot, faux, décoratif, installé juste au-dessous de l'horloge

un jeune moniteur fait, la mine ultra-sérieuse, des calculs de propreté de l'eau avec des appareils qu'il sort d'un étui de cuir

forte odeur de chlore depuis une semaine et le vieil homme a vu son maillot de bain, d'un bleu sombre il y a deux semaines, passer au beige en très peu de temps

au beau milieu du grand bassin, deux enfants s'arrosent en riant très fort

maillot jaune citron, une maigre gamine s'entortille dans trois longs saucissons de plastique rouge, on voit comme quatre torses, image de déesse de l'Inde antique

collé au fond d'un transat plastifié, un Adonis musclé lit un magazine d'automobiles illustré, il porte un gant de cuir pâle à la main gauche, mystère

autre familier du lieu, voici Squelette, maillot orangé, auguste démarche, princière, bassin en avant, tête en arrière, il pose, un Adonis filiforme, à la diète

il ajuste ses toutes petites lunettes de plongée, palpe sans cesse son casque de bain, finit par y enfouir son maigre crâne

il plonge

la gardienne, froncement de sourcils, main à son sifflet, mécontente, pointe un index sur Squelette, car c'est écrit en grandes lettres : *Défense de plonger*

le maigrichon se livre à un crawl fougueux, étonnant tant d'énergie dans si peu de corps le vieil homme nage, placide lui, 22e, 23e longueurs… Bouddha se dandine dans un mètre d'eau et, soudain, se penche au-dessus de sa bedaine gigantesque, enfonce la tête dans l'eau, émerge, semble s'étouffer, crache, encore et encore, bruits de cachalot à la dérive

le vieil homme, tenant ferme un bord de béton turquoise, agite vigoureusement les jambes

remuer tant qu'il peut, le docteur serait content, il l'imagine, mahatma Gandhi, dans son bureau à l'enseigne *Clinique familiale*

le rituel achève, pauvre petit lac artificiel, si la belle saison peut revenir, ce sera de nouveau le vrai lac, le ciel par-dessus la tête, la brise de l'ouest ou un vent chaud venu du sud

plein d'oiseaux se poursuivent dans la petite sapinière du rivage, rares colibris, quelques tourterelles, beaucoup de libellules

un rat musqué nage près du quai avec un brin de saule au bec, il verra un été ? un dernier été ?

alors une natation plus libre, sans l'encombrement de tous ces gamins tapageurs, sans Bouddha, sans Squelette qui barbote dans le passage au câble, allée utile, réservée aux vrais nageurs

déjà un peu de lassitude d'y revenir presque chaque jour : la courte balade en auto d'abord, devoir trouver une niche dans le stationnement de l'hôtel, ne pas oublier son sac de toile noire, la serviette, le maillot, les bouchons pour les oreilles…

30e longueur faite, bon, on s'en va encore une fois, comme hier, trente minutes, comme demain, trente minutes

devoir aller à la douche, se savonner, devoir s'en aller

le vieil homme sursaute : apercevoir derrière la vitre du petit sauna, sous une lumière tamisée, une très énorme boule de suif, Bouddha, trempé, suant, abattu, la tête pendante sur la poitrine, sa grosse bedaine flasque

près du Bouddha, une femme de cirque, baleine aux graisses compactées, si laide, son maillot gris aux vastes plis, ombre immense, toute ployée, ombre lourde dans l'ombre du sauna, Baleine blanche échouée qui sue, qui médite, comme sans yeux, sans bouche, juste son gros nez au milieu de sa tête casquée de caoutchouc beige, caillou poli

est-elle morte ? immobilité totale, totem tout rond, ourse blanche, dépoilée

son gros visage qui s'affaisse soudain, dégonflement inattendu, un ballon qui crève, les épaules aux hanches, gros bras roses, deux dirigeables, et Bouddha qui remue, qui l'observe de ses yeux mi-clos

la sueur coule partout aux murs de cèdre, luisantes coulisses, la vision d'une femme morte

le vieil homme se secoue, s'en va, file rapidement vers le vestiaire, des pensées l'assaillent, lui aussi, il va vers sa mort

il aura 77 ans en novembre

il voit les dernières neiges de cette saison peut-être

peut-être que ce sera « son dernier été », celui qui arrivera dans quelques mois

venir ici pour une très lente noyade : ce grand baquet d'eau chlorée pour les dernières cérémonies, sorte de funérailles, cuvette gigantesque pour tremper ces jours ultimes, une fin de vie en un baptême à l'envers un jour ils vont enterrer aussi Baleine suante, et Bouddha rondelet ne se montrera plus l'hiver prochain, ni Squelette, ni lui… tant de ses amis morts depuis quelques années

le vieil homme déverrouille son cadenas, ouvre sa case, se sort d'un maillot mouillé, revêt son linge, s'assoit pour lacer ses souliers, repense à la veille, à la télé publique, où il a vu de ces savants chirurgiens, une démonstration d'experts, en habiles réparateurs d'organes divers, le triomphalisme médical actuel, l'espérance de vie rallongée, il veut y croire

qui veut mourir?

alors il vient nager ici

devoir quitter l'hôtel, sa marche dans un couloir, parvenir aux deux longues fenêtres qui donnent sur la piscine, voir un gamin, debout, dans un maillot à poches multiples, avec sur la tête un chapeau rond, le classique modèle de l'explorateur

ce garçon immobile, la tête levée, qui semble l'observer, lui sourire, il se voit en le voyant, il lui trouve une ressemblance avec ce qu'il était

de l'autre côté du lac, dans sa maison centenaire raboutée, dans son bureau, sur un babillard, piquée, une photo en noir et blanc: il y a longtemps, lui en gamin de six ans avec ce chapeau rond, c'était au temps de ses excursions en ville avec son père

le vieil homme détourne la tête, ce sosie, c'est trop fou

il jette son maillot mouillé dans un sac de plastique, en tire la fermeture et puis regarde encore une fois… le garçon n'est plus là

est-il victime d'une illusion d'optique? il a souvent des étourdissements depuis quelques semaines il voit maintenant deux gamins, joyeux tirailleurs, leur mère penchée sur eux et qui proteste en vain, qui les menace d'un index méchant

chaque fois qu'il s'en retourne chez lui, il aime bien regarder ainsi le bain, de haut

Bouddha patauge, Squelette est étalé dans un transat, petit paquet d'os, Baleine blanche nage, très souple, rapide même

son étonnement

il regarde les rondes bouées rouges

il se voit maintenant, dans la piscine, est-ce bien lui ? se débattant, la main sur le cœur, vomissant de l'eau, la jeune gardienne affolée court lui tendre la longue perche de métal, impuissant, il ferme les yeux

c'est fini, une vision, folle vision, trop de médicaments ?

une prémonition

il rouvre les yeux et ça se poursuit, il se voit s'agrippant à la jeune gardienne dont les longs cheveux défaits sont tombés sur tout son visage, elle pousse des cris qu'il n'entend pas, maintenant le son d'une sirène d'ambulance dehors

il se secoue, la mère jette des serviettes sur ses deux galopins et frotte

bien terminée cette vision maudite, s'en aller

près de la sortie, dans le hall, une buraliste visiblement émoustillée s'enroule dans un long fil de téléphone, rit, écoute, devient grave puis éclate de rire de nouveau, secoue sa main libre, énervée, cherche son stylo sur son comptoir, le trouve, note fébrilement

un rendez-vous ?

comme autour de la piscine, le hall arbore de grandes plantes vertes, des arbrisseaux exotiques dans de vastes boîtes, urnes gigantesques, l'habituel décor tropical

grandes portes vitrées pour la fragile lumière de l'hiver, si triste les jours sans soleil

de l'escalier du hall montent des échos sourds, des cris lointains, vacarme venu d'un étage plus bas où l'on trouve des jeux électroniques

des Asiatiques s'amènent, valises qui s'accumulent, Japonais, Chinois, Laotiens, Vietnamiens... comment savoir

envie soudaine de pisser

dans un couloir menant à une sortie d'employés, vitrines aux éclairages subtils, étalages discrets, des pots de médicaments en vente, ici et là des réclames affichées pour des produits divers

pour « la beauté permanente »

pour amincir, pour la santé perpétuelle

rajeunir, absolument rajeunir, désormais partout, le grand souci de tous

il voit des dames, des vieilles et des jeunes, toutes en robes de chambre blanches, elles vont et viennent... « SILENCE », répètent des écriteaux

des employés vêtus de sarraus très blancs soutiennent certaines clientes, des maigres, des grosses, des noires, des blondes : visages enfarinés, graissés ou carrément masqués

boue, crèmes spéciales, dans cette partie de l'hôtel, on dirait une clinique, ne plus vieillir, retenir le temps ravageur, annonces de massages fins, de thérapies diverses, une pancarte : *Algologie*

pas très propre aujourd'hui la toilette

retour du vieil homme au hall, grand feu dans la cheminée, l'obligation de devoir zigzaguer entre les nouveaux venus, malles et valises, chariots bourrés

un grand Haïtien cause en créole à tue-tête dans son cellulaire, des commis s'énervent, une fière cliente engueule vivement la préposée n'arrivant pas à bien écrire son nom

un « vieux jeune » homme, vraiment très vieux, déguisé, plein de bagues aux doigts, reprend sa carte de crédit et sourit à une très jeune fille qui l'accompagne, verres fumés, ils vont à l'ascenseur

le vieil homme quitte enfin l'hôtel, va reprendre sa voiture

lui, il n'arrive de nulle part, lui, il ne part pas, plus jamais, pour nulle part, il reste, il est désormais un sédentaire qui habite juste en face, de l'autre côté du lac, il est devenu « l'homme immobile » qui reviendra à sa piscine demain, ce sera encore la place de stationnement à trouver, le hall au grand feu de cheminée, l'escalier à la large rampe de cuir, le vestiaire, la case

se dévêtir et aller nager encore trente longueurs

il reverra Bouddha ou Squelette ou Baleine et des enfants tapageurs et peut-être cette vision, celle d'un gamin portant un chapeau d'explorateur... qu'il connaît trop bien

avant de sortir, il croise une vitrine très illuminée, lit un panonceau : *À prix d'aubaine. S'adresser au comptoir d'accueil*

des poupées de collection, de très jolies poupées, il songe à cette petite « marquise » que sa jeune sœur installait au milieu de son lit, une mode de ce temps-là il songe soudain à une autre poupée, celle qui dérivait sur l'eau du fleuve au port, c'était en 1935, il allait avoir six ans

la fois qu'il avait eu si peur car il avait cru à un bébé mort, à son nouveau petit frère, noyé peut-être

il voit sur une des étagères de la montre une poupée avec du linge brodé de bleu, des fleurs comme des taches, elle a des cheveux blonds, des yeux bleus, c'est la poupée dans l'eau sale au port, nettoyée, ressuscitée

le vieil homme se jette dehors, maintenant une neige tombe à très gros flocons, c'est joli à voir dans le noir du ciel

3

l'enfant jouit ce matin, oh oui! une nouvelle lettre de l'oncle exilé vient d'arriver, l'oncle en mission écrit à son frère, son papa, l'enfant sait qu'il y aura aussi des photographies et, peut-être comme la dernière fois, des cartes postales, il les collectionne

au boudoir, assis aux pieds de son père, il va l'écouter lire, l'enfant aimerait bien, un jour, quand il sera grand, voyager, aller jusqu'en Chine

Szépingkai,

Mon cher petit frère,

J'ai devant les yeux en ce moment la photo que tu m'as envoyée où l'on voit ton gamin posant fièrement avec sa canne à pêcher et son coffre aux agrès. À ses pieds, sur un journal ouvert, on voit un pas mal gros brochet. Bravo! Dis-lui qu'il m'impressionne et que je le remercie pour son dessin en couleurs vives d'une poupée qui flotte sur l'eau avec des yeux morts, on dirait absents, des yeux sans regard. Il m'a juste mis en bas de son croquis: « Personne ne me croit mais je l'ai vue. »

Un mystère pour moi.

Tu m'as dit que ton garçon aimait beaucoup mes photos chinoises. En voici d'autres. D'abord un cimetière chinois; constate qu'au contraire de chez nous, il y a des monticules de terre, des buttes, oui, on n'enterre pas vraiment ici.

Une autre photo montre un cercueil, grosse boîte rustique, rien à voir avec les nôtres si souvent d'une menuiserie luxueuse.

Une troisième photo illustre leur fameux «passeport», c'est pour l'âme du défunt aux enfers, vieilles croyances. Je ne traduirai pas tous ces signes qui sont des pictogrammes et qui entourent l'effigie de l'auguste bonze assis. Il est en robe d'apparat, coiffé de cette pagode à sept étages (sept!) avec ses jambes repliées et comme porté par des laquais qui sont les officiants aux funérailles.

Je te raconte maintenant un personnage qui m'est familier ici, mon cher Lao Ly.

C'est un p'tit vieux encore très vigoureux qui nous sert de bedeau et aussi d'homme à tout faire. Vaillant pour ses 71 ans, très solide. Si tu le voyais sonner les cloches, tu serais étonné. Lao Ly trottine tout le jour sans s'arrêter dans notre grande cour en vaquant aux charges qu'on lui confie et sans jamais une seule plainte. Des fagots à rassembler, il en fait des pyramides le long du grand mur proche de notre cuisine, il installe des baquets d'eau, il y a le gros sel à trouver, les bols de nourriture à surveiller, des bottes de légumes à nous ramener du grand champ voisin. Ouf!

Ce vieux Lao Ly est une vraie bénédiction. Il nous est indispensable. C'est comique à voir, il consulte sans cesse nos trois horloges car c'est lui qui veille à ce que nous ayons l'heure juste, très exacte, il y tient; sa marotte. Il semble fasciné par les horloges. On le voit prier parfois mais il se relève souvent pour aller vérifier de près les aiguilles sur le grand cadran de la chapelle. Il y a quelques jours, je sortais à peine de table que mon Lao Ly s'amène et hésite, semble-t-il, à me confier son secret. Nous ne pouvons le payer que du gîte offert, souvent de gros fromages soya ou bien d'une culotte ouatée pour l'hiver qui est rude en Chine du Nord. Il est aussi payé de notre affection, que nous ne ménageons pas, tous. Ce jour-là donc, il me dit qu'il veut partir.

J'ai eu peur. Partir ? S'en aller ? Pour longtemps ? Nous quitter à jamais ? Mais non. Il veut une permission, un congé. Il m'implore dans son chinois d'un accent un peu spécial : « Père, ça fait bien dix ans, vous n'étiez pas encore arrivé ici, que je n'ai pas lâché mon ouvrage, pas une seule journée et il y a Choey, là, avec son chariot, qui s'en retourne dans son village à Shan-kia Wo-pou. »

Mon cher Lao Ly baisse les yeux, lisse son caluron d'une main grasse : « Je voudrais aller passer quelques jours chez lui… Hing pou hing ! »

Je l'aurais embrassé, avec ses yeux baissés, sa tête penchée. Je lui dis : « Mais oui, tu peux partir, mais oui, évidemment. » Heureux, mon permissionnaire a revêtu sa robe neuve pardessus les autres plus mûres, a grimpé dans le chariot aux hautes roues de fer de son ami Choey.

En réalité, il nous a manqué. Revenu, il me raconte : « Je m'ennuyais de mes cloches, des horloges aussi, même des charrois de bûches, de tout. Oh ! je fus un hôte choyé là-bas, j'avais mon k'ang bien à moi (leur lit de briques chauffées) mais je ne pouvais plus supporter ce genre de vie. Je m'ennuyais de ma petite voiture, je regrettais même le câble noueux du clocher ici. »

Et notre Lao Ly se remit vite à trottiner aux quatre coins de la cour. Le lendemain, il me paraît très préoccupé et je le questionne, il hésite à raconter et finit par me dire : « Il y a que j'ai retrouvé dans le village de Choey un type qui me devait de l'argent et depuis très longtemps. »

Je dis : « Et alors ? Il t'a enfin remboursé, oui ? » Il fait : « Non. Oui et non, en tout cas il a consenti à m'acheter mon cercueil. » Je répète : « Il t'a acheté quoi ? Un cercueil ? » Voilà mon Lao Ly qui exulte : « Oui, et un beau ! Je vous le montrerai plus tard. J'ai encore une demande à faire. »

Mon petit frère, si tu avais vu mon Lao Ly, ses yeux brillaient de plaisir et de fierté. « Je voudrais pouvoir prendre ces vieilles poutres là-bas, celles qui traînent au fond de la cour, je les couvrirais de tiges de sorgho et puis j'y mettrais des restes de terre à salpêtre. Ça me ferait un abri idéal pour quand je serai parti à jamais. En attendant, je l'aurais sous les yeux et je vivrais le cœur en paix. »

J'ai accepté pour les poutres, les tiges et la terre à salpêtre. Lao Ly m'a dit : « Merci, oh merci ! Ce sera mon berceau bien-aimé, ce cadeau d'un si beau cercueil. »

Vois-tu la différence avec nous ? Pour eux, la mort est prévisible, se prépare calmement, ça n'a rien d'effrayant. Ils ont d'avance leur cercueil, ils y voient, s'y adaptent. En Chine, la mort est une sorte de but, un fait ordinaire, normal, auquel il faut se préparer presque dans la joie !

Bon, ça suffit. J'ai mis une carte postale nouvelle de Pékin, si loin de Szépingkai, à des heures et des heures de train. J'espère que ta femme et tous tes enfants vont bien. Tu liras cette lettre à maman, je n'ai pas eu le temps de lui en écrire une. Une sale grippe court et nous n'arrêtons pas de soigner car il nous arrive des malades de tous nos alentours.

Je suppose que tu comprends, vu l'occupant japonais, que nos lettres sont parfois interceptées, ouvertes et lues. Nos supérieurs, d'accord avec les autorités, nous recommandent de ne jamais commenter les actualités politiques. Je préfère, ce n'est vraiment pas mon domaine, tu te souviendras peut-être que, jeune, je refusais toujours d'accompagner pépère, notre père adoptif, à ses chères assemblées électorales.

Écris-moi le plus souvent que tu peux, j'espère aussi les dessins de ton petit pêcheur émérite.

Union de prières,

Ton grand frère en exil

4

un autre lundi tant aimé, l'enfant accompagne son père dans le quartier chinois, il aime tant ça, se sentir comme dans une autre ville, voir toutes ces enseignes aux lettrages illisibles, il tient fermement la grosse main de son cher papa, il a l'assurance chaque fois que rien ne peut lui arriver de désagréable, qu'il est protégé… de tout

sa mère lui a déjà dit: « Tu n'as pas peur de tous ces inconnus qui viennent de si loin? Moi, je me sentirais pas trop brave à ta place. »

il a ri

au contraire, il croise parfois des enfants chinois et il aimerait bien savoir parler leur langue comme le grand frère de papa exilé là-bas

ils vont donc tous les deux la main dans la main

d'un marchand à l'autre, son père guette les bonnes occasions, les vraies aubaines, il cherche des importations nouvelles qui sauraient plaire à sa clientèle du magasin dans le nord de la ville

il arrive parfois qu'ils aillent s'installer dans un des restaurants du Chinatown pour un rouleau impérial, son mets favori à l'enfant, avec beaucoup de sauce sucrée

que d'offres! jolies lanternes, pliables comme des accordéons, parasols de papier vernis peint, petits chapeaux pointus, kimonos variés, éventails d'ivoire décoré, multitude de statuettes sculptées dans diverses matières

dans une lettre récente, l'oncle exilé a raconté qu'un franciscain zélé, à Pékin, aurait forgé une légende pour s'attirer des convertis, une histoire invraisemblable : la Sainte Vierge Marie et son bon Joseph, menacés par le méchant roi hébreu, se seraient réfugiés, oui, en Chine ! en Chine, mais oui ! pour accoucher du divin enfant Jésus, loin du menaçant despote Hérode… grand succès de ce conte pieux et, depuis, pléthore de crèches de Noël *made in China*, mode qui se répand partout avec des personnages chinois, les trois Rois mages compris

son père ne cesse de s'informer partout : une telle exotique crèche devrait lui obtenir un bon succès de vente

pour être utile, indispensable, l'enfant fouille souvent au fond des entrepôts dont le fouillis pourrait bien cacher ce trésor

son père serait si fier de lui

le garçon est fier de voir et d'entendre son père discutant les prix en anglais, certains marchands protestent, disent vouloir « pratiquer » leur français

il est vraiment étonné de constater le grand respect de ces commerçants chinois qui négocient ferme, en riant, avec cet homme au feutre mou, son papa

quand ces Chinois s'échangent des blagues en chinois, l'enfant rit par automatisme, il apprécie leur confiance en son papa, avec leurs visages alors épanouis

il est impressionné par ce père qui signe des chèques, qui donne l'adresse de son magasin, qui exige que soit expédié rapidement à son magasin tel ou tel achat son père est donc un homme important, un homme que l'on accueille partout avec respect, que l'on reconduit jusque sur le trottoir avec maints petits saluts de la tête

pendant que le père, à l'intérieur d'une boutique, n'en finit plus de discuter, resté sur le trottoir, l'enfant s'éloigne un peu et il voit, par le large soupirail d'une maison de pierres grises, des Chinois étendus sur de longs bancs capitonnés, qui fument, silencieusement, de longues pipes bizarres

certains jouent aux cartes ou avec d'étranges dominos, certains semblent comme endormis, d'une immobilité totale, paralysés, et de drôles d'odeurs s'échappent de cette vaste cave

un type lourdaud avec des dents cassées voit ce gamin penché qui les regarde, geste vif, le gros bonhomme à la peau jaunie tire farouchement un rideau sur le soupirail ouvert

il a grogné, l'enfant devine confusément qu'il a vu ce qu'il ne fallait pas

devoir se taire aussi là-dessus, songe-t-il

son père, qui répète toujours que dans la vie « il faut se mêler de ses affaires », vient le retrouver, un lourd paquet sous le bras

que font-ils donc dans ce sous-sol ? pourquoi fumer en bande, étendus, muets ? qui sont-ils ? est-ce un rituel religieux ?

se taire, il ne questionnera pas

un jour, dans une de ses lettres, son oncle expliquera peut-être ce curieux rite

maintenant, plus loin, son père l'a laissé encore sur le trottoir pour grimper dans un long escalier ténébreux et quand il en redescend, une femme l'accompagne, le précède, se penche sur lui, jacassante, rieuse, vêtue d'une longue robe de soie noire, elle semble très agitée

une fois sur le trottoir le soleil aveugle la femme et elle cache ses yeux avec un éventail de papier rose, elle porte des bijoux dans les cheveux, au cou, aux poignets, à une cheville même, marche mal sur des talons très hauts, petits souliers pointus en soie rouge, elle manque souvent de tomber, son père la soutient en riant, elle a un visage très blanc, trop poudré, ses cheveux très noirs sont rassemblés en une haute toque à l'aide de longues baguettes

l'enfant est captivé, son père qui rit si peu souvent rit maintenant sans cesse

le gamin va vers son père en riant lui aussi

innocente connivence, il aime le voir rire mais une mauvaise intuition le ravage, cette dame filiforme pourrait bien lui ravir son père tant aimé

dimanche, les sœurs de sa mère, ses trois tantes, des pies jacasseuses, racontaient l'histoire d'un film vu la veille où une méchante coquette séduisait un brave père de famille et à la fin ils partaient ensemble sur un paquebot, les enfants abandonnés pleuraient

il voit s'amener le gros M. Wong, sa large face plate, sa queue-de-rat au vent, accourant vers la femme fardée, qu'il empoigne, semble rudoyer

le couple du gros et de la mince traverse la rue, disparaît derrière la porte d'un restaurant chic

« Papa, est-ce la femme de M. Wong ? »

pas de réponse, on ne dit jamais rien aux enfants

« Viens, mon garçon, j'ai trouvé ce que je cherchais, maintenant on va aller sur le port, tu vas pouvoir pêcher un p'tit bout de temps. »

de nouveau, sa main dans la bonne grande main de son père, il se calme

voici le port chéri, le quai de l'horloge, le vent, les cargos attachés aux ancres, les marins criards, les débardeurs énervés, les oiseaux blancs dans le ciel

il sera bientôt onze heures, « Je vais aller payer mes taxes à l'hôtel de ville et je reviens très vite », l'enfant déplie son petit banc de tôle noire, il accroche un leurre multicolore, *made in China*, jette sa ligne, guette l'eau si sombre du fleuve

quand il rapporte du poisson à la maison, sa mère pousse des petits cris de joie, il en est tout content chaque fois

« être un enfant qui aide à nourrir sa famille », s'imagine-t-il

le soleil fait briller des toits, celui, pas bien loin, du grand marché, le dôme de cette église à la statue aux bras ouverts

il regarde partout, tout est en place, rien ne change ici : il y a le gros téléphone noir sur un poteau de cèdre mal goudronné, c'est pour les hommes des taxis, il y a, à l'ouest, le vieux cabanon qui sert de cantine à des débardeurs

derrière lui, des trains de marchandises attendent il ne sait jamais trop quoi, la taverne au nord, ses portes battantes grandes ouvertes, ses bruits confus, des bribes de musique lancinante, des cris souvent s'en échappent, des rires effrayants parfois, une très bruyante musique de cow-boy

flopée de mouettes qui s'abat soudain sur un sac éventré, cargo d'un jaune rouillé qui s'en va, l'ancre mal levée, un autre, rouge et noir, au lettrage effacé, s'amène deux marins sautent sur une des jetées, les câbles volent, une grande charrette attelée à deux blonds percherons très poilus s'installe pas loin, son cocher jure et crache sans cesse

deux camions aux bâches rabattues s'éloignent, fumée si noire

trois matelots courent vers un snack-bar ambulant et branlant, une cabane de tôle peinte en bleu toute blottie contre un muret couvert de vignes sauvages

son décor des lundis, son bonheur de descendre en ville avec son père, pas assez souvent à son goût

il l'observe, revenu du sous-sol de l'hôtel de ville, qui jongle, pipe au bec, fouillant vaguement l'horizon d'en face, l'enfant aime bien voir son père jongler, il devine qu'il tire des plans d'avenir et qu'il y est concerné

il évite de songer à septembre

« Plus que quatre mois, lui répète cruellement sa mère, et il faudra faire ton entrée à l'école ! »

c'en sera fini de ces expéditions bien-aimées, l'enfant voudrait retenir le temps, qu'il ne passe plus si vite

plus que quatre mois ?

5

rouler deux minutes et être à ce vieil hôtel d'en face, il n'y a qu'à contourner le petit lac

débordement de voitures aujourd'hui, plein de plaques marquées Maine ou New York, ces jours-ci

oser se stationner en zone réservée aux handicapés, risque d'une contravention, d'un remorquage peut-être ? le vieil homme s'en fiche, n'est-il pas un handicapé… sans la vignette à logo bleu et blanc d'un fauteuil roulant

il songe à en obtenir un exemplaire pour l'accrocher à son pare-brise

mais quoi ? invoquer le fait qu'il aura 77 ans l'automne prochain, qu'il avale chaque jour un lot de comprimés, un le soir pour la digestion, ce satané foie paresseux qui est en train de l'assassiner, un comprimé le matin pour combattre le méchant cholestérol

faire rire de lui, on lui dira : « Où est votre fauteuil roulant ? »

le vieil homme marche vite vers sa chère piscine, glisse, tombe à genoux, son sac de toile noire dans la gadoue, « Tu fais tout trop vite, tu finiras par te tuer ! » lui répétait sa Rachel, cette Rachel morte à New York* il y

* Voir le roman précédent de l'auteur, *Rachel au pays de l'orignal qui pleure*, Éditions Trois-Pistoles, 2004.

a six ans, prise en otage par un fou furieux, victime d'un vieil acteur psychotique et de son projet cinématographique d'aliéné, dément jaloux

le vieil homme a publié un bouquin sur ce « fait divers » qui lui a cassé sa vie, singulière fatale mésaventure en septembre 2001

enragé, mouillé, il descend maintenant l'escalier à longs paliers qui conduit à l'hôtel

la lumière jaunissante des lampadaires tout autour, il fait noir tôt en février, partout ces lumignons électriques dans les vieux cèdres, neige abondante tombée la veille, rondes meringues dans les branches des sapins et des vieux pins, beauté

sous la marquise violette de l'entrée, installation d'un immense bloc de glace transparent, tel du verre poli, avec l'écusson symbolique de l'hôtel, silhouette gravée d'un fier coq

salutation machinale du portier qui, courbé en deux, va vite porter des valises sur un chariot

couple de Latinos basanés, trois grouillants bambins, les rires, la vie joyeuse des riches touristes du Sud venus voir… de la neige

le vieil homme aime entendre parler espagnol, souvent, jadis, il a songé à l'apprendre, une autre velléité

ils viennent d'où ? du Mexique, du Venezuela, du Chili ou de l'Argentine ? comment savoir ?

à gauche, au fond, l'escalier à la large rampe capitonnée de cuir ambre, puis le vestiaire, la case, se dévêtir en vitesse, le vieil homme s'amène avec presque rien, pas même sa montre, un maillot, une serviette

douche obligatoire, zut, plus de savon dans le flacon suspendu oh bof!

Bouddha sommeille dans le sauna, tas de graisse suante

le charmant radieux « bonjour » de la jeune gardienne en short rouge, beaucoup de baigneurs aujourd'hui, l'allée réservée aux nageurs est pourtant libre, le vieil homme s'y jette

la routine, trente longueurs, et puis s'en aller

nager alternativement sur le ventre et sur le dos, chantonner discrètement pour se donner un rythme, geste nerveux à l'oreille, sa crainte toujours de n'avoir pas retiré sa coûteuse prothèse auditive

maudite vieillesse !

fort éternuement tantôt et avoir senti glisser de son palais la prothèse dentaire, il ne se voit pas cherchant la chose au fond de l'eau

misère ! maudite vieillesse !

des petits cris rauques, ébats erratiques, c'est une jeune fille visiblement fort handicapée, une autre fillette, mal assise sur une chaise de plastique, tendue, penchée en avant, l'observe attentivement, gardienne payée ou grande sœur ?

le vieil homme songe à Lucille, sa sœur aînée, baptisée « la deuxième mère », qui devait sans cesse surveiller Madeleine, la benjamine handicapée

« Elle est ma croix », chuchotait sa mère à des voisines compatissantes, « un boulet, une fatalité », répétait son père, le modeste commerçant de chinoiseries, songeur, anxieux mais tout de même optimiste, qui guettait une amélioration miraculeuse parmi les maladresses, les pitoyables efforts de Madeleine « pour faire mieux »

dernière-née et mal née

le vieil homme sursaute, un monstre marin a surgi, sortant d'il ne sait où, gros dauphin au maillot d'une peau plissée et rosie, bonnet élastique tout mou, lâche courroie autour du cou retenant des lunettes, deux rondelles embuées, un pince-nez rouge à cordelette noire et, plein la gueule, une sorte d'accordéon, un tuba : apeurant mammifère asexué qui, dans la section profonde, s'accrochant comme lui au rebord cimenté, recrache son embout plastifié

la voix caverneuse de ce gras Dauphin rose : *« Are you that guy who writes in our local newspaper ? »*, le vieil homme joue le sourd, d'un index tendu fait voir à cette « Madame Dauphin » ses bouchons aux oreilles et se remet à nager

deux gamins, armés de macaronis de mousse de plastique jaune, bataillent ferme dans l'eau, font des passes de guerriers de cinéma, émettent de brefs et violents cris en faux japonais

le vieil homme songe alors à Mishima, il vient de terminer la biographie de Stokes sur cet écrivain japonais, ce bizarre « fou de son empereur » sans pouvoir, ce Mishima, mué en grand résistant, maladif nostalgique des fameux samouraïs qu'il idolâtrait, pédéraste esthète, admirateur des Proust, Gide, Jouandeau, Genet, Pasolini

Mishima obtient un jour un succès littéraire mondial

mal marié, père de famille à double vie, ce curieux Mishima, un clandestin épris des beautés adolescentes mâles

il enrôlera à ses frais, endoctrinera, de jeunes miliciens fanatisés, il se donnera la mort au milieu de ses soldats en un suicide très public, hara-kiri

ô tradition ! éviscéré dans le bureau d'un général écœuré qu'il a pris en otage, à la fin de la cérémonie funèbre il se fera trancher la tête par un de ses jeunes sbires, comme prévu, avec son beau sabre de collection, le curieux destin

son biographe écrit : « Un esprit par trop cérébral... trait commun des écrivains narcissiques. »

le vieil homme, éclaboussé par les deux jeunes tirailleurs, sourit à ces petits samouraïs, se souvient que ce biographe méticuleux révélait que ces adeptes du hara-kiri mystique se bouchent d'abord l'anus avec du coton hydrophile pour empêcher l'incontinence prévisible, le vidage subit des intestins, beurk...

ses longueurs faites, le vieil homme sort du bain au moment où s'amène, frétillante, joyeuse, toute une famille d'Asiatiques, grands-parents, parents et rejetons

comme pour les Latinos du hall, ne jamais trop bien savoir l'origine : Chine, Japon, Corée, Vietnam, Laos, Cambodge, Thaïlande ?

retour à la douche obligatoire, bien, on est venu mettre du savon, essuyer son reste de cheveux, voir au petit sauna brave Squelette en sueur, debout, nu, se vouant à une gymnastique du genre taï chi

le vestiaire, reprendre ses bottes fourrées, chaque fois signer un registre, heure d'arrivée, de départ, un escalier de trois marches, un couloir, voir le long bain d'en haut encore, cette fois plus de vision néfaste

les salles de soins de santé, un autre couloir, l'escalier à rampe de cuir, le hall, des clients au long comptoir, ça arrive, ça s'en va, des valises partout, flux, flot de mines souvent radieuses, tant de neige dans ce pays, le grand feu dans la haute cheminée et, sur trois côtés, fauteuils et divans remplis de skieurs satisfaits

mais pour le vieil homme, fini le ski alpin depuis longtemps, que cette natation pour retarder une échéance il ramasse un exemplaire de l'hebdo régional because: « *He is that man who writes...* »

Madame Dauphin doit barboter dans l'allée réservée qu'il a libérée

en marchant, il ouvre l'hebdo local pour vérifier, oui, sa chronique y est: fulmination encore contre un nouveau projet en montagnes voisines, celui d'une vaste et haute tour avec restaurant pivotant

son rôle d'imprécateur guettant les attentats à la belle nature sauvage

dehors le froid du soir le saisit, il ajuste sa tuque, son foulard

belle lumière dans ces jardins de blancheur, l'escalier à paliers, souffler un peu à chaque niveau de planches nues

maudite vieillesse!

dans le parking, deux gaillards visiblement éméchés tombent, se relèvent en riant, s'accrochent l'un à l'autre, gais, chantent à tue-tête, probablement en allemand?

sa voiture n'a pas été remorquée, la déverrouiller, rêver à l'été, au lac, y nager librement dès la mi-juin et, en face, voir cet hôtel sur l'autre rive, s'il vit toujours

rouler, rentrer pour faire chauffer une soupe goûteuse achetée à l'École hôtelière voisine, imaginer en roulant des samouraïs de dix ans qui se tiraillent, qui bousculent Madame Dauphin qui en perd le petit accordéon rose suspendu à son cou

le vieil homme sourit puis se rembrunit: ne pas mourir avant l'été

6

à cause du magasin de chinoiseries de son père, l'enfant a remarqué qu'il y a souvent des enveloppes avec des signes en chinois dans le courrier que le facteur livre chez lui, chaque fois son père s'énerve, fait un tri rapide, guette l'enveloppe marquée des timbres de Szépingkai : son père se réjouit davantage d'une lettre de son grand frère exilé que des factures des commerçants du Chinatown

ce matin-là, le père partait pour sa boutique mais, ayant vu l'enveloppe précieuse, est revenu s'asseoir au boudoir, l'enfant, comme souvent en ces occasions, s'installe entre ses genoux, ravi, l'oreille aux aguets

son père lit :

Mon cher petit frère,

Dans ta dernière lettre, tu me demandes de te dire qui fabrique ces crèches de Noël à la chinoise. Je ne le sais bien pas. Je n'en ai pas vu par ici en Mandchourie. On m'avait parlé de Pékin, de Shanghai, de Canton. Je comprends que cette légende d'un Jésus né en Chine, répandue pour « la bonne cause » par notre apôtre franciscain trop zélé, peut te sembler une bonne occasion d'affaires mais songe que Rome n'apprécierait pas que tu t'en fasses le propagandiste. Cesse donc ta recherche, mon petit frère. Ce disciple de Saint-François finira par se faire rappeler à l'ordre par le Vatican surtout qu'il en est, m'a-t-on dit, à diffuser maintenant que Jésus, avant d'avoir trente ans, serait d'abord venu prêcher ici en Chine ! Il obtient de ce grossier mensonge, inorthodoxe, peu évangélique, un énorme succès et… des conversions nombreuses. Tu te rends compte ? Jésus en Chine comme pour s'exercer ! Il va loin dans l'invention et il en pâtira, on va lui mettre un frein et le rapatrier en vitesse, ce bizarre missionnaire.

Ce n'est pas mon genre d'inventer de telles calembredaines, je me contente d'inventer des orgues. Oui, me voilà promu « facteur d'orgues » ! Je viens d'en construire un troisième avec de simples tubes de carton, mes pauvres tuyaux, qui sera expédié à Davao aux Philippines. Là où mes supérieurs songent à m'envoyer vu ma santé plutôt délabrée. Là-bas, il y fait un meilleur climat. Hérédité ? Pourtant toi tu n'es jamais malade, m'écris-tu. Notre maman, à la santé si fragile elle aussi, fut longtemps hantée par notre père, mort si jeune, mais en 1908 une crise d'appendicite était insoignable et la mort précoce de papa fut donc un accident. Je me souviens assez mal de notre père, j'avais pourtant six ans, comme ton gars cette année ! Tu en avais trois, notre frère Léo n'était qu'un poupon.

Grand merci pour tes photographies. Tes trois gamines ressemblent à des petites Chinoises avec leurs franges de cheveux lisses sur le front. Notre bedeau, Lao, tel qu'il est dessiné et colorié aux craies de cire par ton garçon, a grandement réjoui notre cher homme à tout faire, tu peux me croire. Il le faisait voir à tout le monde, disant : « Regardez, je suis connu en Amérique. » Ma foi, ton gars fera un bon dessinateur plus tard, comme toi qui as toujours aimé dessiner.

Envie maintenant de vous raconter des funérailles chinoises. Appelons cela « la cérémonie des lanternes ». Qui se dit « Siao Xing » *par ici. Cela se déroule deux jours avant l'ensevelissement de la dépouille. Son but ? Éclairer, guider l'âme du défunt à travers les enfers bouddhiques, le délivrer des peines dont il aurait pu se rendre passible. Les Célestes affirment que le monde vivant sur terre est régi par le* « yang kin »*, qui est synonyme de lumière, de soleil, d'étoiles et de la lune. Au contraire, le monde de la mort, de l'au-delà, est soumis au principe* « yan kien »*, monde des ténèbres. Aussi les bonzes ont donc inventé cette cérémonie funéraire qui conduira l'âme du trépassé à travers les sections de leur enfer.*

On tend deux cordes parallèles entre l'autel où repose le macchabée et le podium du bonze en costume d'apparat. On y suspend deux petites licornes, des découpes, l'une est montée par Kin T'ong, un dieu, l'autre par une déesse, Yu Niu. Des chandelles allumées sont ficelées aux pieds des deux licornes, mobiles. Ces deux cordes figurent le chemin qui conduit l'âme au Paradis « de l'Ouest », comme ils disent toujours. Notre Éden à nous, tu le sais, se situe à l'Est ! Alors, est-ce le même ?

C'est donc Kin T'ong et Yu Niu qui doivent introduire le mort dans le ciel chinois et ils doivent protéger l'âme face, entre autres périls, à des chiens affamés. La licorne mythique est la reine des animaux et les chandelles illuminent cette route vers leur paradis.

Le bonze (il y en a plusieurs pour les riches) porte une chape décorée, il a son instrument de musique préféré et quand il vient s'installer au podium dans son fauteuil, on allume alors des cierges. Seul le fils aîné a le droit de s'agenouiller devant l'autel du trépassé. Débute aussitôt la récitation de prières chinoises et cela en dix parties car il y a dix sections en enfer. Après chaque récitation, l'on (des officiants) tire sur les ficelles pour rapprocher les licornes de l'autel.

Mon petit frère, tu verrais ça, c'est comme tes chères marionnettes d'enfant et, à la fin, toutes les prières ayant été chantées, Kin T'ong et Yu Niu sont rendus juste au-dessus de l'autel. En cours de cérémonie on fait brûler de ces suppliques imprimées sur du papier jaune qui sont comme des « lettres de recommandation » implorant les faveurs des juges infernaux. À la fin, le bonze descend de son estrade pour faire trois fois le tour de la bière, puis il s'empare d'un bol de grains pour y planter une sorte de lampion et déposera ce bol carrément sur le cercueil. Tous ces cérémoniaires maintenant vont se retirer car l'enterrement va avoir lieu, l'âme enfin assurée d'une place en paradis.

J'imagine que je recevrai là-dessus un grand dessin enfantin à la craie de cire. Je l'espère.

Sujet plus léger? Laisse-moi te parler d'un bonhomme fort amusant. Écoute, on entend d'abord des « Ding, ding! Ding, ding! », carillon argentin qui domine les bruits de la rue voisine. Qui est donc ce joyeux drille, déambulant, brimbalant, dodelinant, tanguant avec son long bambou flexible sur une épaule, vrai Charlot? C'est mon ami Pao, le barbier ambulant. Il a son petit banc rouge de forme classique, large en bas, étroit en haut avec, au milieu, son tiroir pour les outils et, par-derrière, sa petite cuvette qu'il posera sur une base de boiserie. Ah notre cher Pao! « Ding, ding! » et puis stop, un client enfin! Il l'entraînera vers un coin à l'abri du vent et à l'ombre si possible, là, il pose sa charge. Il sort son rasoir, d'abord il le passe et le repasse sur une pièce de cuir qui reluit... de crasse! Pao vérifie d'un œil exercé sur sa paume voir si le fil est franc. Avec une balayette qu'il trempe dans son bassin d'eau pas toujours limpide, il humecte généreusement le crâne de son client. Il entame sa besogne, tu devrais voir ça, en larges tranchées dans l'épaisse et dure chevelure.

Et il cause, il cause, notre Pao… À la fin, ce crâne en deviendra une boule de cire luisante. Ensuite, c'est la barbe mais il en restera des brins sur les joues, sur le menton ; pas grave avec Pao, c'est si peu cher un barbier ambulant. À la toute fin, il sort sa petite curette coupante de bambou pour enlever les poils du nez et aussi ceux des oreilles ! Ainsi il reste comme une mappemonde luisante ornée seulement de sourcils car Pao ne touche jamais aux sourcils, chers aux Chinois. L'artiste achèvera son bel ouvrage en lissant les paupières avec de l'eau et puis massera les tempes, tapotera le dos et aussi la poitrine et se saisira d'une petite spatule pour bien peigner les cils et, oui, l'extérieur des paupières !

Debout, le client reçoit une serviette humide pour s'essuyer la tête. Il n'a plus qu'à payer et s'en ira tout fier, tout content.

Mon petit frère, je ne me lasse jamais de l'observer. Ce Pao est un magicien, c'est un spectacle couru, il n'a aucun loyer à payer, il semble un célibataire prospère, il n'a que lui à entretenir et il est très populaire dans le quartier. Pao Dingding vous transforme une tête hirsute en une belle boule de billard.

Écris-moi plus fréquemment, je t'en prie. Ces temps-ci j'ai souvent le mal du pays.

Union de prières,

Ton grand frère exilé

7

de nouveau le port, un beau lundi, le fleuve, comme noir sous ce soleil ardent

le père s'en va chez ses chers vendeurs chinois, l'enfant déplie son banc de tôle, ouvre son coffret, accroche une cuillère à sa ligne, brandit sa canne, et plouf !

ce matin de bel avril, marchant d'abord avec son père vers son tramway du coin, l'enfant a remarqué les bourgeons très gonflés dans le lilas du voisin, le printemps s'installe pour de vrai

maintenant, si un gros poisson venait mordre, « très gros » pour une fois…

un jour, un débardeur en pause était venu lui parler, disant qu'il avait vu nager dans les eaux du port d'énormes bêtes marines, des « esturgeons », oui, « d'eau douce », avait spécifié le grand gaillard au crochet de métal, l'enfant en rêvait et puis se demandait s'il aurait la force de tirer le poisson géant hors de l'eau

bah ! il demanderait de l'aide, il y a toujours des gens un peu partout sur les quais

quand il lui prend une violente envie de pisser, comme c'est le cas maintenant, l'enfant se rend en vitesse près d'un mur délabré le long d'un vétuste bâtiment déserté, sorte de petit hangar juste derrière le poteau où est accroché un téléphone public à l'usage des taxis du port souvent ce téléphone, gros crapaud noir, sonne et il n'y a personne, aucune voiture, il a toujours envie d'aller décrocher, une curiosité niaise se dit-il, et il s'en abstient

il vide sa vessie, reboutonne sa braguette, retourne mettre sa ligne à l'eau et examiner tout, observer les arrivées et les départs des vieilles goélettes ou des cargos modernes avec, parfois, leurs hautes cheminées peinturlurées

il lui arrive de sursauter tant la sirène d'accostage de l'un des bateaux rugit fortement, ça le fait rire, comme il rit quand des goélands se chamaillent violemment, si bruyamment, pour un sandwich abandonné, une vieille pomme entamée ou un sac de frites souvent vide

l'enfant aime cette activité tout autour, cette vie trépidante qui, parfois, se calme d'un seul coup

mystérieusement le téléphone sonne, un gras *taximan* sort très lentement de sa voiture, reboucle sa large ceinture, va au poteau de cèdre, décroche, écoute, grogne deux mots, s'enfourne de nouveau dans sa bagnole noire luisante et part après avoir ajusté sa casquette à écusson marquée *LaSalle Taxi*

une autre voiture de taxi roule un peu pour prendre la place du taxi parti cueillir un client, l'enfant connaît son conducteur, un maigrichon aux cheveux d'un rouge vif étonnant

il se nomme Ovila, la peau de son visage est toute grêlée, « Oui, jeune, j'ai vécu un empoisonnement de sang »

il vient parfois parler au garçon, c'est un ancien religieux qui a quitté son ordre, sa soutane, à cause d'une santé trop fragile, lui a-t-il expliqué

cet Ovila à la peau de serpent lui a dit aussi qu'il s'ennuie de ses classes d'enfants à enseigner, ce rouquin défroqué lui raconte qu'au bout de cette ville, loin, très loin vers l'est, tout au bout du fleuve quand il se jette dans l'océan, c'était « mon chez-moi », son village, son « chez-lui », une petite maison branlante où il avait onze frères et sœurs

« Enfant, comme toi, je pêchais... »

de la morue principalement, avec des filets, dans la barque ronde de son frère aîné

Ovila étant orphelin de père, cet aîné jouait ce rôle mais il est mort noyé un jour de grosse tempête, c'est à ce moment-là, à treize ans, que le rouquin s'en est allé à jamais pour un juvénat, quittant la trâlée familiale, sorte de « noviciat de frères »

un jour l'ancien religieux devenu *taximan* recommande à l'enfant de descendre sa ligne très profondément dans l'eau, le lendemain, au contraire, il lui suggère de la garder très courte

« C'est selon le vent, mon p'tit gars, plus il y en a mieux tu dois aller au profond », aujourd'hui l'efflanqué rouquin est de mauvaise humeur et répète à l'enfant – qui en est embarrassé – qu'il en a assez de son « maudit taxi », que c'est un commerce « mourant » et que la ville pue trop, que le port est devenu un enfer de bruits assourdissants, mal fréquenté

« Ton père devrait pas te laisser ici tout seul », il lance des petites tomates pourries dans l'eau : « Ça attire les *poéssons*, tu vas voir ça ! »

il lui dit qu'il va retourner dans son beau pays natal, au bord de la mer, qu'il deviendra de nouveau un pêcheur libre, « sans ce satané patron et le maudit téléphone, un boss sans-cœur à qui je dois rendre des comptes sans cesse »

le téléphone sonne, Ovila enrage, trépigne, jette sa casquette à terre, la ramasse, jure entre ses dents, crache, va au crapaud du poteau d'un pas traînant, grommelant: « Maudits clients, sacrés maudits clients... », il démarre en lui faisant un petit salut

l'enfant a vidé la longue bouteille d'orangeade offerte par l'ancien religieux et une envie de pisser le prend encore, il retourne au muret du hangar

il n'avait pas remarqué, cachée par un bout de clôture, une femme au long manteau gris comme pendue à l'appareil public et qui, d'une voix éraillée, caverneuse, gueule maintenant: « Fred, mon écœurant, ferme-la! Fred! T'as été un rat avec moé, j'suis pas une chienne, Fred! T'es pire qu'un rat avec moé. Et tu disais m'aimer, mon salaud! Fred, t'es un vrai démon! T'as pas le droit de me laisser, Fred! T'as pas le droit de me faire ça! »

l'enfant la voit qui pleure maintenant, pliée, échevelée, le téléphone serré sur son oreille, son autre main balançant son grand sac de cuir gris

« Tu pouvais pas m'humilier pire que ça, Fred! Je t'ai tout donné, tout', t'as pas de cœur, pas une miette de cœur, Fred. T'es la pire des ordures, des crapules, Fred, le sais-tu comm' faut ça? T'es un beau salaud, Fred, je vais me jeter à l'eau et tu seras le seul responsable de ma mort! »

encore d'autres petits cris qu'elle étouffe mal, toujours des sanglots, l'enfant n'ose plus bouger de sa cachette, la jeune femme au long manteau gémit, râle, piétine les pavés, observe soudain de longs silences qu'elle ponctue de « rat de maquereau, saudite vipère, vieux dégénéré, misérable, instrument du diable... »

l'enfant n'en revient pas, il ne sait rien du désespoir des grandes personnes et il n'ose toujours pas sortir de sa cachette mais la noiraude désespérée a fini par raccrocher, un mouchoir à la main, elle avance péniblement vers le bord de l'eau, de loin, l'enfant bouleversé marche derrière cette maigrelette

elle a enlevé son long manteau en deux gestes rageurs, l'a jeté par terre, on voit sa robe de satin rouge qui brille au soleil

elle sort de ses souliers en marchant, les abandonne sur le pavé, se rapproche du fleuve

l'enfant ne veut que retourner à son banc de pêcheur, il y va très prudemment, tout craintif, s'assoit sur son banc de tôle noire, observe la femme, pas bien loin, qui fixe l'eau

une sirène mugit rageusement, l'air en tremble mais elle semble ne plus rien entendre, l'enfant la trouve laide avec son visage ravagé, sa figure déformée, d'enragée mouillée de larmes, la voilà qui ouvre son grand sac et en sort un paquet de lettres, les lance en l'air derrière elle, le vent les éparpille aussitôt, elle s'empare d'une fiasque, la débouche, boit à grandes lampées, la tête rejetée en arrière, les yeux fermés, ses lèvres remuent, mais l'enfant entend à peine ses « damné, satan dépravé, démon débauché, gigolo maudit »

elle se rapproche du bord de la jetée, l'enfant remarque ses bas de nylon troués, et il songe à cette larmoyante « Charlotte prie Notre-Dame » entendue à la radio, ces lamentations que sa mère aimait entendre et réentendre au mois de décembre dernier

il ne manque ici que la tonitruante musique d'orgue

l'enfant a peur, quoi faire si elle décidait soudainement de se jeter à l'eau ? il songe aussi à cette tante, une des sœurs de sa mère, celle qui a un long nez crochu tout comme cette désespérée, les mêmes longs cheveux noirs plats, qui est, comme elle, très grande et si maigre, cette tante mal mariée qui vient souvent pleurer dans le boudoir les dimanches après-midi, ses doigts pleins de mouchoirs de dentelle

tante Julienne a besoin de se plaindre ainsi chez sa sœur cadette et tout le monde la surnomme « la goune » sans qu'il sache pourquoi, tante Julienne-la-braillarde qui a défroqué d'un couvent de carmélites, puis a épousé l'oncle Roch, ce « maudit grand sans-cœur de fainéant » qui la trompe

insupportables ces miaulements lancinants de tant de dimanches, cette tante effraie l'enfant, comme l'effraie cette femme en larmes à la robe rouge sang qui ne semble même pas le voir

un long yacht bleu et blanc apparaît soudainement et file le long des quais, passe tout près de la pleureuse

la surprise de l'enfant quand il voit la femme qui fait de frénétiques saluts au navigateur debout au volant, cheveux blonds au vent, élégamment vêtu de blanc, mystère pour le gamin

cette « Charlotte » fait voir de longues dents blanches, se trémousse, a enlevé son petit chapeau gris, ses cheveux se défont au vent

jouait-elle une comédie à ce Fred du téléphone ?

est-ce qu'un jour il comprendra les grandes personnes ?

une Ford d'un vert criard surgit derrière, sur le quai, un long gaillard en sort, svelte, crâne chauve, il gueule : « Agathe, sainte hostie, arrive icitte, vite ! », le gaillard ramasse le manteau, les souliers, marche rapidement vers la femme et voilà que la pleureuse se rapproche rapidement du gamin, comme pour se réfugier, le prendre à témoin il voudrait se voir ailleurs, très loin, elle fait des gestes nerveux, des yeux fous, où se sauver ? elle regarde aux quatre horizons, balbutie des « salaud, bandit, écœurant »

l'homme en coupe-vent de cuir ciré jaune s'approche en jurant : « Arrive icitte, ma chienne de tabarnac de folle »

ce grand jaune au nez écrasé de boxeur lui saute dessus et, de sa main libre, lui administre des coups de poing… dans le dos, sur la tête et puis des coups de pied

la femme, la tête rentrée dans son sac grand ouvert qui se vide, ne dit plus rien, un coup de pied du déchaîné déplace le coffre aux agrès du gamin

il a très peur

« Ça suffit, tu vas rentrer à 'maison à c't'heure, mon hostie de ciboire de câlice de folle », il l'empoigne, ils s'éloignent

ouf ! l'enfant voudrait voir arriver son père, Ovila-le-rouge aurait-il raison ? « Pas la place d'un enfant, le port ! »

pas bien loin, des matelots nerveux qui n'ont rien vu attachent des câbles aux têtes-de-nègre métalliques, d'énormes oiseaux blancs tournent en rond au-dessus d'un cageot défoncé, juché sur une passerelle un débardeur s'époumone, au loin

cris rauques des mouettes autour d'une charrette vide, viennent maintenant des nuages aux couleurs d'enfer, ils s'accumulent

non loin, l'homme de cuir tire sur sa braillarde, la traîne de force à son cabriolet vert, toute courbée elle se laisse entraîner, une poche molle rouge, et le gros serin de cuir jaune, jambes arquées, la jette sur un siège, s'installe au volant, démarre l'enfant respire, il a pu entendre encore des « ma sacrament de malade, ma ciboire de lunatique, mon ostensoir de fêlée, tu la fermes, pas un mot ou ben je te tue, ma câlice d'hostie d'encensoir de guidoune ! »

si son père avait entendu ça, lui qui ne supporte aucun gros mot, lui, un homme si pieux qui récite souvent son chapelet à genoux dans la chambre des filles, au moment des prières du soir, comme son papa aurait été scandalisé par ce blasphémateur déchaîné

quand son père reviendra, il se dit qu'il ne dira rien, ne racontera pas ce cauchemar, cela pourrait faire qu'il n'y aurait plus jamais de ces merveilleux lundis au port, oui, il se taira donc sur ce qui vient de se produire de violent entre – c'est quoi une guidoune ? – une femme au long manteau gris et – c'est quoi donc un gigolo ? – un bonhomme en cuir jaune

pas un seul mot, ce sera un autre de ses secrets, une histoire entre grandes personnes tout cela, un monde qui ne le concerne pas encore, chez lui c'est la paix, il n'a jamais assisté à la moindre querelle

l'enfant est tendu, encore énervé, se demande s'il ne ferait pas bien de monter au Chinatown et y retrouver son père, aller lui donner la main, oui, s'emparer de sa bonne grosse main chaude

il n'ira pas, non, il craint de revivre une certaine scène, revoir cette fille trop maquillée, cette belle Chinoise qui rit très fort, cette beauté qui se nomme Lili – ou Lee Lee ? – et qui connaît bien son père

ne pas bouger, l'attendre

il regarde l'horloge dans la tour, il sera midi, son père sera ici bientôt, il a besoin de se calmer, il a eu si peur de cet enragé en cuirette non, il n'ira pas là-haut, il va rester ici à l'attendre, il n'aime pas trop cette Chine d'ici, il préfère « la Chine chinoise », celle des lettres de son oncle, la Chine où il y a Lao, bon bedeau, et les « dring, dring » de Pao, le barbier ambulant

il relit souvent ces lettres de Chine, comme il aimerait y aller et pouvoir assister à cette cérémonie aux deux licornes glissantes comme des marionnettes, allumer des cierges, garnir le bol funéraire, lire de ces suppliques jaunes et faire brûler de l'encens

en rentrant chez lui, l'enfant se promet d'allumer de cet encens chinois qui est dans un bocal au-dessus de l'évier de la cuisine, il en aime l'odeur sucrée

il sucera de la menthe chinoise importée ou bien croquera un morceau de gingembre chinois, il en aime le goût fort et il sait où en trouver sur une tablette de la dépense, au-dessus de la trappe qui cache l'escalier de la cave

enfin voilà venir son père qui tient une large boîte de carton, l'enfant sort sa ligne de l'eau et puis il court à sa rencontre

son père lui prend la main : « Pas de poisson aujourd'hui ? Rien pris ? Rien du tout ? Pas même une petite perchaude, un crapet-soleil ? »

l'enfant a envie de raconter cette fille battue au nez croche qui sort de son manteau, de ses souliers, parler du vilain blasphémateur jaune, il regarde son père qui allume sa pipe encore éteinte, qui examine le large comme il le fait toujours, qui semble l'inspecteur des alentours du port

les nuages sont partis, le soleil luit, le rouquin revient dans son taxi, lui fait des petits saluts sans trop savoir pourquoi l'enfant se dit que son père aimerait voyager, aller loin, comme lui, comme tout le monde, pense-t-il

« Qu'est-ce que tu as dans ta grande boîte, papa ? »

le père se secoue, se penche sur lui : « J'ai acheté des jeux chinois, oui, des jeux de patience, de jolis blocs faits de pièces de bois colorées. »

l'enfant s'excite : « Je veux voir ça. »

son père lui sourit : « Une fois à la maison, pas avant, viens, ramasse bien tout, on s'en va », ils marchent vers le terminus le cœur léger, l'enfant qui a hâte d'avoir un bloc, le père qui a toujours faim de nouilles chinoises, son régal

l'enfant a sa petite main enfouie dans la grande main chaude de son papa adoré

le bonheur

il a oublié la lutte sur le quai, il est redevenu un petit garçon heureux, un gamin ordinaire, tranquille, un enfant normal qui grandit tout doucement dans une maison calme, dans une famille en paix, ce combat vu sur les quais, celui de la guidoune – « qu'est-ce que c'est ? » – et du maquereau – « qu'est-ce que c'est ? » –, ne le concerne pas du tout

c'est un autre monde, il a vécu ça par accident, il a vu un peu de la noirceur du monde, d'un autre monde dont on ne lui parle jamais et qu'il devine confusément, par exemple quand le notaire voisin rentre ivre mort et tombe sur les marches de son perron ou quand la femme de l'épicier est sortie dans la rue un soir d'hiver, les poignets ensanglantés

tout cela qu'on lui cache, tous ces mystères des grandes personnes, il préfère ne pas trop savoir, il pense que tout cela n'est pas beau à connaître, il sent, il sait qu'il a raison il voudrait rester un enfant mais grandir vite aussi et devenir très fort, être vraiment libre et partir pour la Chine

maintenant ce petit gamin a juste hâte de jouer à ce jeu de patience

« Mon p'tit gars, tu vas voir l'intelligence des Chinois ! Ce jeu de patience, c'est très compliqué, une fois défait tu arriveras pas de sitôt à refaire le bloc. Même M. Wong n'y arrivait pas ce matin ! »

assis dans le tramway, son coffre de pêcheur entre ses pieds, l'enfant n'en peut plus, « Je veux voir ça, je t'en prie… »

le père ouvre alors sa boîte, en sort un des blocs aux lamelles de bois et l'enfant trépigne aussitôt de joie, tire la langue, doucement il fait glisser une première languette de bois, du bois rougi !… du rouge de cette fille qui voulait se noyer tantôt, puis qui faisait de joyeux saluts à un type échevelé, blond, dans un yacht bleu et blanc

la vie est un mystère pour lui, ce jeu de blocs chinois aussi

8

un vieux Sisyphe, lui, toujours refaire un même manège, cette piscine

il roule de nouveau vers l'hôtel d'en face : stationner, prendre son sac sur le siège du passager, dévaler l'allée qui mène aux marches de bois vers l'hôtel, la longue pente, toute blanchie, qui conduit au lac rond et blanc en bas

le vieil homme voit, sur l'autre rive, son grand drapeau bleu et blanc que, chaque hiver, les vents déchiquettent

moins loin, tous ces patineurs, petites silhouettes mouvantes, marionnettes virevoltantes aux couleurs vives qui tournent et tournent sur le grand anneau aménagé, bien glacé

c'est dimanche

ici, à sa droite, sous un timide soleil de février, tant de skieurs, les plus jeunes sur des planches

à l'entrée, luxueux bus-à-touristes stationnés, aux vitres tabac, deux conducteurs harassés fument, bagages partout, la porte bloquée, devoir attendre son tour, rester poli

le portier débordé – donc pas de salutation –, piailleries, dans le hall un grand carton sur chevalet : *Congrès*

une chambre de commerce

pour échapper à ce charivari dominical, vite descendre vers sa chère baignoire, vérification comme toujours en passant devant les fenêtres intérieures : c'est bien, pas trop de baigneurs tout de même, l'allée de crawleurs libre, se dépêcher alors

vestiaire, un mécontent grogne, il a perdu la clé de son cadenas, coup de fil au bureau… « Oui, oui, on envoie quelqu'un tout de suite », c'est un petit bonhomme, nabot à mine farouche, et il agite sa longue pince coupante

crac ! vite fait, bien fait, offre d'un pourboire de l'oublieur, un rond gaillard déjà bizarrement à bout de souffle, refus du dépanneur qui fuit et Rose et Bleu me sourit : « C'est la deuxième fois en quinze jours, j'oublie tout, qu'est-ce que ça va être quand je serai vraiment vieux ? »

il me dévisage, me découvre en vieil homme, détourne le regard

il a la peau – poitrine, dos, ventre, bras – toute décorée de taches roses, les jambes marquées de fines lignes bleues, oui, « Rose et Bleu » serait son nom, avec petite tête d'oiseau rapace, yeux clignotants, pas de cou, nez busqué, pas de lèvres, le voilà tout nu, joggant sur place, son sourire ambigu

pas loin, devant le long miroir des lavabos, beau grand jeune homme chantonnant qui s'empare de l'un des séchoirs à cheveux, pivote puis colle son visage sur la glace, s'examine, profil gauche, profil droit, coquet Narcisse apparemment très satisfait, la belle musculature, Adonis heureux, maintenant il sifflote un air vague, ajuste son veston de pur lin : « N'allez pas au tourbillon aujourd'hui, c'est pas propre, conseil d'ami. »

le vieil homme n'aime pas l'eau chaude et ne va jamais à ce bassin à tourbillons, devoir nager pour garder la santé, garder la vie dans son cas, au moins un peu…

il songe à son projet d'annonce : « Perdu : ma vie. Récompense. »

à qui s'adresser ? à la gare des faux départs ?

hier, la piscine était fermée avec une petite affiche : *Problème de filtration. Revenez demain. Merci*

son abonnement n'autorise pas l'utilisation de la salle aux machines, tant pis, il va tout de même grimper sur un de ces vélos stationnaires, pédaler trente minutes, platitude, guidon avec des cadrans sophistiqués, son ignorance des gadgets, à côté, dans un local approprié, deux gaillards frappent furieusement sur la balle de squash

se faire suer violemment, salle d'à côté, gras bonhomme tout frisé, tatoué aux épaules, soulevant des haltères, en changeant souvent, faisant des calculs, ajustant méticuleusement de lourds poids, ne plus vieillir

quant à lui : ne pas mourir trop tôt

deux gamines en sandales bleues dans des maillots fleuris se roulant paresseusement sur d'énormes ballons rouges, se mirant, coquettes ingénues, dans d'immenses miroirs, Narcisse et ses deux enfants narcissiques

aujourd'hui donc, PH bien ajusté, droit d'entrer à la piscine, la monitrice : « C'est qu'hier il y avait vraiment trop de chlore mais tout est réglé, allez-y sans crainte. »

un nageur tout rond, très poilu, lui fait des signes et vient vers lui : « Me replacez-vous ? », non, il ne le replace pas

« Voyons, le magasin, dans le temps ? Près de chez vous, rue Lajeunesse ? Mon père avait 125 vélos à louer, je vous en ai parlé au vestiaire l'autre jour. »

le vieil homme : « Ah oui, oui, oui, 125 vélos ! »

satisfait, tout content le Poilu: « Vous vous souvenez, rue Berri, dans ce temps-là, après la guerre, il y avait plein de terrains vagues où on vendait des chars usagés. »

l'ours est intarissable: « La rue était un immense marché en plein air, avec des fanions, des lumières, offres de tacots, des bazous souvent, vendus pas chers, on y venait marchander ces minounes de partout, ça vous revient, oui ? », il ne cesse plus, parle de prix, le vieil homme par politesse se retient de nager

« C'étaient des amis de mon père, tous ces vendeurs, des rastaquouères évidemment, dans les kiosques, ça prenait un coup raide, rien que du fort, les heures étaient longues, papa a sombré dans l'alcoolisme à la longue, ma mère l'a quitté, on est allés vivre, mes deux sœurs et moi, chez nos grands-parents à Côte Saint-Paul, elle venait de là, maman ; je voulais vous dire, hier, dans le journal local, j'ai lu votre pamphlet, oh boy, vous y allez ! »

le vieil homme ne l'écoute plus et entre dans l'eau tiède, Poilu l'a suivi, barbotte derrière lui, parle encore

le vieil homme: « Faut m'excuser, je dois beaucoup me remuer par ordre de mon médecin. »

Plein-de-poils se compose aussitôt un visage grave: « Oh ! rien de trop sérieux, j'espère ? », « Non, le foie magané et trop de méchant cholestérol à combattre. »

il se sauve du bavard à poil, nage la tête dans l'eau, il imagine l'air de son toubib dans son petit bureau du village, tout souriant, fier de son malade

voici Tout-Ridé, l'instructeur de ski, toujours souriant, mines de don Juan, le pas chaloupé, il sort du jacuzzi et descend le petit escalier qui conduit à la piscine, ses allures de souverain, cheveux poivre et sel, maillot citron très ajusté, vieux Casanova, sa démarche flamboyante pour aller s'allonger dans un des transats de plastique après avoir déroulé une longue serviette d'un vert criard

Tout-Ridé, examinateur, sourcils froncés, semble passer en revue un à un les palmiers aux quatre coins du bain, un, deux, six, huit... il y a le compte ? mains derrière la tête, il sourit béatement, à personne, suffit qu'il se sente regardé... il se lève, auguste, s'approche de la jeune gardienne, échange de sourires, haussement du torse, échange de confidences, elle rit, tire sur son short rouge d'une main ferme, Adonis citron va se rasseoir, elle le suit, doit s'accroupir, rit aux éclats maintenant

à chacune de ses visites, le vieil homme s'amuse, tout observer et rompre un peu chaque jour sa solitude, celle du veuf inconsolable depuis septembre 2001

le téléphone mural grésille, Short Rouge court, décroche vite, écoute, saute de plaisir apparent, belles dents luisantes, yeux plissés, elle se dandine, déhanchement fou soudain, sans raccrocher elle quitte l'appareil pour retourner à Casanova qui ouvrait un magazine : consultation puis retour au téléphone, elle transmet un message, raccroche très doucement

ne jamais vraiment tout savoir de la vie des autres

la vie

on n'a que sa vie

décrocher du bord et nager encore, aller de plus en plus vite... content, cher docteur ?

imaginer la vie des autres, scénariser sans cesse, Rachel, vivante, aimait tant ça, deviner le cours de certaines existences, se fiant à... à presque rien, un regard, une allure, une coiffure, deux, trois gestes, un vêtement, c'était amusant, sur des plages de la Nouvelle-Angleterre, aux terrasses l'été, aux cafés, dans la rue, halls des cinémas, des théâtres, comme des devinettes, vainement, rébus, un jeu : deviner le cours des vies

il se secoue, le docteur a insisté : « Nager, mon ami, vraiment, pas de ces petites navettes de pépère paresseux, hein ? Il faudra vraiment nager à fond. »

oui, oui, docteur, compris, il remuera frénétiquement

s'amuser à compter les secondes pour faire une traversée, cette fois en trente secondes

moins maintenant, si possible, allons-y

imaginer des vies, s'immobiliser, s'accrocher au rebord de béton, pas utile pour la bonne santé à préserver, Tout-Ridé, debout, en exercices furibonds

assez reluqué, nager, nager

par les larges portes-fenêtres du sud, il voit un curieux rideau, tenture brodée de blancheur, le vent et une neige folle blanchit l'extérieur, flocons par millions, la beauté, tas de survenants en fantômes émiettés

sous l'horloge, grand hublot faux bleu, éclairé par en-dedans, il y voit des ombres mouvantes

des poissons ? il sort vite du bain, marche jusqu'au hublot sous l'horloge, ça descend, ça remonte, il s'approche pour vérifier, des enfants l'observent, il s'y colle, il n'y a rien, que de la lumière bleutée

berlue encore

ça lui arrive parfois, il croit voir des choses qui remuent

son inquiétude, maudite vieillesse, illusion encore, sa vue troublée, il se souvient d'avoir caché un papier, sorte d'ordonnance quand il a fait changer ses verres récemment, un écrit à menaces : cataractes prévisibles et devoir aller à une opération, mais à quoi bon maintenant, il n'ira pas, la peur il n'y a donc rien dans cet aquarium-hublot et il replonge, nager pour nager, les enfants ricanent

voilà que « 125-vélos » s'en va, petits saluts de loin

poli, il y répond mécaniquement, admirer maintenant, nouvelle arrivée, cette svelte nageuse dans l'allée réservée, avec la fougue d'une vraie sportive, elle va et vient, incessant manège, à une extrémité, rapide toucher du mur et, hop ! on y retourne, la santé, la jeunesse vraie, le vieil homme réussit à l'arrêter d'un signe : « Combien de tours, combien de temps il faut faire pour garder la vraie bonne forme, dites-moi ? »

elle retire ses lunettes de plastique : « Moi, je fais une heure, soixante minutes quoi, quatre fois par semaine. »

il lui dit : « Je ne fais que trente minutes mais je viens ici presque sept jours sur sept. »

elle : « Oui, oui, bien, à votre âge. »

bang !

elle reprend son rythme, la belle vitesse, il l'envie

sur les carreaux de céramique bleu et blanc, derrière une bedaine géante, marche maintenant un gras bonhomme à chevelure très abondante, peau blanche comme translucide, il touche l'eau d'un pied hésitant, s'y jette, splash considérable

le vieil homme songe à ce bouddha de porcelaine au magasin de chinoiseries de son père

Bouddha patauge, s'ébroue, sourit, à personne, il est bien, vrai Bouddha s'empare d'un flotteur, remue sur place, quitte sa bouée, s'accroche au rebord, gigoteur, fait aller ses jambes

voici un filiforme individu qui sort du bain-tourbillon, s'allonge sur une courte serviette, se masse les cuisses, puis se lève d'un bond tout raide d'abord, le mince personnage à gueule de carnassier avec mâchoires protubérantes se livre à une gymnastique bizarre, s'abandonne les yeux clos à sa lente gestuelle, d'une espèce évidemment asiatique, une sculpture de Giacometti remue, vivante, à rythme ésotérique

l'échalas va causer avec un jeune gardien qui mesure l'acidité de l'eau à genoux, portefeuille d'instruments à ses côtés, ils partent ensemble vers la zone du vestiaire

Bouddha sort du bain et va s'écraser sous l'une des hautes plantes vertes, regard au plafond pour vérifier la lumière, ouvre un des *National Geographic* qui traînent sur une des tables, chausse des lunettes très rondes, ouvre, choisit une page, lit

le vieil homme songe à son père, à sa collection de vieux magazines du même genre, ce père toujours enfermé dans son magasin, un mutique qui rêve de pays lointains sans jamais partir, jamais de toute sa longue vie, sans quitter sa ville, son quartier

quartier avec des champs de bazous à bon prix, quartier où on louait à l'heure 125 vélos, avec un grand marché de maraîchers où on négociait des radis, des carottes, du maïs, une petite poule

enfant, le vieil homme ouvrait souvent les revues du papa, il aimait ces reportages illustrés sur des contrées inaccessibles, déserts, jungles, volcans, sommets enneigés – Afrique, Amazonie, Mongolie, Himalaya, la Mandchourie de l'oncle exilé –, il rêvait comme son père, examinant longuement les photos de ces tribus inconnues, peaux maquillées étrangement, nez de ces indigènes en pagnes déchirés avec des anneaux, tatouages touffus, femmes à très longs cous, lèvres agrandies avec plateaux, pygmées qui effrayaient, images excitantes pour un enfant, mondes sauvages inconnus qu'il idéalisait

il se voulait un Tarzan capable de découvertes inouïes ou un Superman survolant ces pays du bout du monde, il ne serait pas un découvreur, ni un pionnier audacieux, pas même un intrépide reporter

il ira un jour aux États-Unis, pas bien longtemps, en Italie, en Angleterre, deux fois en France, ce sera tout

il rêvassait en nageant mollement et voici qu'on entend des cris, des clameurs mal retenues, quatre garçons foncent vers la piscine, la monitrice installe son sifflet entre ses dents et fronce les sourcils

la joie des enfants, deux mères vêtues à l'arabe qui s'énervent, sourient de force, la crainte d'un accident, un des gamins glisse et c'est le « Tu vois, je t'avais averti ! »

un plus jeune saute à l'eau en se bouchant le nez et appelle les autres, de jeunes animaux humains qui se jettent dans l'eau l'un après l'autre

le plaisir

le vieil homme veut s'en aller, demain, il viendra plus tard, il y aura moins de monde espère-t-il... à l'heure du souper ? éviter ces joyeux lurons, jeunes drilles baroudeurs, galopins trop remplis de vitalité, lui qui, plus jeune, a tant aimé les enfants, il n'a plus les nerfs pour endurer de tels chahuts

Bouddha retourne à l'eau, tente de nager en gardant les pieds au fond, craint-il la noyade ? il nage sur place, surveille les gamins qui se lancent un gros ballon rouge, les cris fusent de plus belle, se dépêcher, se sauver, la douche, puis le vestiaire, oui, vite le vestiaire

il n'y avait donc rien derrière le faux hublot, il devra aller se faire examiner la vue, douche, chaude puis froide, très froide, non, il n'y avait rien derrière le hublot sous l'horloge, il n'y a plus de savon dans le flacon fixé au mur

9

le petit pêcheur n'est pas certain d'aller pêcher ce lundi, il pleut, mais, pas si triste, il déambule dans la rue principale du Chinatown, toujours aussi heureux d'avoir sa petite main dans la grande main du père, ils s'en vont rencontrer M. Wing

au contraire de M. Wong, Wing est tout mince, un fil, et pas beaucoup plus haut qu'un enfant, en face de lui le gamin blondinet éprouve un certain malaise, avec une envie de rire qu'il retient, assis sur une caisse de bâtonnets d'encens

vieille poupée dérisoire, ridé partout, M. Wing explique au père qu'il va fermer son négoce, que les affaires ne sont plus bonnes du tout, qu'il s'en va à la banqueroute, et le garçon voit bien que les étagères du petit entrepôt sont toutes très dégarnies

« Oui, je vais aller m'installer sur la côte du Pacifique, on dit, on me répète que le business y est bien meilleur. »

l'enfant ouvre les oreilles car le père dit : « Je vous comprends, moi aussi ça ne va pas fort à mon magasin, il y vient de moins en moins de clients. »

Wing élève le ton : « Il faut bien comprendre que, là-bas, au bord du Pacifique, on commande directement aux plus gros marchands, et c'est bien moins cher, ah oui, vous devriez y aller faire un tour… », le père jongle quelques instants puis : « Oui, je vais y penser très sérieusement à ce voyage, vous avez sans doute raison. »

le nabot chinois sort sur le trottoir mais rentre aussitôt, raides averses, cette pluie n'a pas cessé depuis l'aube, toute la rue reluit d'eau, « Allez-y donc, vous dresseriez votre propre liste de grossistes, des importants, comprenez bien que faire affaire directement avec eux là-bas réduira vos dépenses, ici, comme intermédiaires, il faut bien prendre notre part de commission »

allumant sa pipe, le père lui répète qu'il s'y rendra, sur la côte

« Eh bien, bravo, on se retrouvera peut-être là-bas ! »

Wing rit, il lui manque des dents en avant et le gamin rit aussi, il n'en revient pas de ces rires brefs à répétition de Wing, de ces dents rares mais si blanches, pas de ces dents jaunes et noires comme celles du gros Wong à la longue tresse

le père aide Wing à nouer les cordes de chanvre autour des paquets faits de journaux chinois, l'enfant pense à Pao, le barbier ambulant de Szépingkai, il imagine la petite tête si chevelue de Wing changée en boule de billard

vu les prix cassés, son père achète maintenant un lot de jolies lanternes pliantes à pompons que Wing enveloppe soigneusement, cette fois dans de grandes feuilles de papier de soie rose : « C'est comme si je vous les donnais, vous faites vraiment un bargain. »

sur le trottoir, paquet sous le bras, l'enfant se demande si son père acceptera de l'amener avec lui pour ce long voyage à l'autre bout du pays

il aimerait tant voyager

le père a ouvert son grand parapluie noir, ça tombe, le vent se lève plus fort, le parapluie plie

ils pénètrent dans un restaurant chinois, dans l'entrée un chant nasillard se fait entendre, aussi une musique de flûte, de clochettes, de cymbales, ensemble qui soutient la chanteuse du tourne-disque au fond du magasin

l'enfant aime ces sonorités si peu familières, il est en Chine : le haut-parleur de cette gargote grésille sans cesse

le père a commandé des rouleaux au chou et du thé, l'enfant n'aime pas trop le goût du thé mais il ne le laisse pas voir et l'avale à petites lampées tant c'est chaud, il n'est pas encore, loin de là, un fin connaisseur comme son père, l'importateur respecté

une fille en kimono noir s'amène avec un sourire triomphant et le gamin a reconnu cette Lili – cette Lee Lee ? – au visage si pâle, aux yeux soulignés de mascara noir, aux lèvres peintes grassement d'un vermeil très luisant, il entend ses nombreux bijoux tintinnabuler pendant qu'elle se pavane entre les quelques clients attablés

l'enfant se dit que sa mère, si réservée, jugerait vite cette miss Lee : « Une épivardée, une dévergondée ! », ses mots quand passent des filles trop fardées dans sa rue

le masque impressionnant sert les rouleaux et son père dit : « Mademoiselle, je crois que je vais partir au fond de l'Ouest pour rencontrer les grossistes chinois, un très long voyage en train. »

son fils, aussitôt : « En train… papa, j'aimerais tant ça, voyager en train, vas-tu m'amener avec toi ? Dis oui ! »

le père sourit : « Pas sérieux, mon p'tit gars, c'est au bout du monde, des jours et des nuits entières sur les rails. »

la Chinoise aux cent colliers rit, jetant la tête en arrière : « Et moi, je pourrais ? Je serais votre interprète là-bas. »

le gamin est étonné d'entendre son père répondre : « Mlle Lee, si vous payez vos dépenses, je veux bien », le père rit, c'est rare

ils sortent, la pluie a cessé mais le ciel reste tout gris, une chaleur soudaine a envahi l'air et fait voir partout, dans la rue et sur les trottoirs, des fumerolles, comme si tout le quartier dans ses souterrains faisait bouillir des mets chinois, songe l'enfant

« Est-ce qu'on va pouvoir pêcher au port, maintenant que la pluie a cessé ? », le père secoue son parapluie trempé, le ferme : « Pas tout de suite, faut d'abord rencontrer M. Wong, il m'a promis de faire d'actives recherches pour cette crèche de Noël chinoise et je veux savoir s'il en a déjà déniché un modèle », l'enfant sait que son père veut lui acheter aussi de ces parasols de papier vernis qui se vendent si bien

affichette dans la porte du magasin Wong : *Fermé, cause de funérailles*

le père est déçu : « M. Wong m'avait parlé de son vieux papa très malade, ça y est, il a passé, c'est la cérémonie. »

cérémonie, se répète l'enfant, cérémonie des lanternes ? « papa, on y va, je veux voir les licornes, les deux cordes, les chandelles, tout ça, on y va ? »

le père ne répond pas, il examine une vitrine pleine de statuettes bizarres, en rangées denses, rien à voir avec celles du magasin de piété, rue Notre-Dame, pas bien loin

l'enfant encore : « Je veux voir les marionnettes funéraires !

– Écoute-moi bien, chez les Wong rien de tout ça, la famille s'est convertie, pas à notre sainte religion hélas, ils sont devenus des protestants, pas de licornes, rien de ce paganisme. »

le père lui explique que des Chinois sont catholiques « tout comme nous », qu'il y a une Mission catholique dans une rue voisine, « comme celle de mon grand frère en Chine, mais oui, la Mission du Saint-Esprit, rue Saint-Urbain »

un tram passe

le père dit à son fils : « Si on pouvait rapatrier au pays mon grand frère, le nommer missionnaire ici, rue Saint-Urbain. »

l'enfant a une moue, dit : « Non, papa, je veux que mon oncle reste en Chine, sinon plus de lettres, plus de photos ni cartes postales, plus rien. »

son père sourit, songe : un enfant…

la pluie a recommencé, plus drue que jamais, heureusement, pas loin de chez *Wong export-import*, il y a l'étroit magasin de Li Tchen Lin

ils y courent : clochettes dans le portique, joyeux sons, l'enfant ouvre et referme la porte pour les entendre, le vieux M. Lin, qui devait jouer aux cartes comme toujours dans son arrière-boutique, surgit et fait de gros yeux à l'enfant

le père, dénichant des parasols de papier, en achète aussitôt une douzaine, l'enfant admire encore ce papa qui parle en anglais

il se questionne : apprendre le chinois, difficile ?

son gros sac sous le bras, le père ouvre malaisément son parapluie et son gamin insiste pour porter le paquet de parasols, refus du père, le gamin insiste encore, il aime jouer l'utile, jouer l'indispensable, « Tu as bien assez de ton coffre et ton petit banc, non ? »

la pluie a cessé d'un coup, un frêle soleil luit bien faiblement

« Papa, on va pêcher ensemble ? »

le père accepte enfin : « Mais je t'avertis, pas longtemps. »

le port luit de tant d'eau tombée, peu de débardeurs, l'enfant est content, aime tant voir son père pêcher à ses côtés, il lui donne une de ses deux cannes à pêche, celle qui n'a pas de dragons gravés sur le moulinet, debout, son père ne cesse de lancer, de retirer et de relancer sa ligne

l'enfant s'amuse de le voir tant se démener, l'image d'un père libre, gesticulant au-dessus du fleuve, le ravit, aux yeux du gamin, ils deviennent, père et fils, très semblables : deux pêcheurs qui ont tout leur temps

un marin ivre mort gueule en sortant de la vieille taverne derrière eux, un train de fret se secoue, avance, recule, avance... klaxons assourdissants de la locomotive qui cache le marin saoul

l'enfant rit

quand le train file enfin, le marin est à genoux et vomit

qui se penche sur l'ivrogne ? l'enfant croit voir l'homme mystérieux au coupe-vent bleu acier qui s'agenouille près de l'homme tombé, est-ce bien l'homme qui articule des phrases qu'il ne peut entendre ? il n'en est pas certain

l'homme en bleu se redresse et le fixe, le gamin en a encore un peu peur, qui est donc ce vieil homme inconnu qui semble toujours l'observer ? voilà la pluie revenue, vite, vite, ils partent, ils fuient

le terminus, l'enfant voit une pancarte marquée *24*, c'est le bon numéro, un tramway vers le nord de la ville, ils s'embarquent

dès leur arrivée, père et fils filent à la cuisine, bonnes odeurs de soupe aux légumes

le père : « Je pensais à ça dans le tramway, notre garçon aime tant la Chine que ça me surprendrait pas qu'il se fasse missionnaire sur les traces de mon grand frère. »

la mère sert le potage, sourit : « Mais non, tu devrais le savoir, ta mère nous le répète, il fera un pape à Rome, un jour… »

la bouche pleine, l'enfant réagit : « Ce que je veux, moi, c'est avoir un gros kodak, voyager, aller partout dans le monde, en Afrique, en Sibérie et en Chine aussi. »

il s'éponge la bouche et continue : « Vous auriez de mes nouvelles en lisant le *National Geographic.* »

au dessert, la mère est toute jongleuse, son mari lui a annoncé qu'il veut partir en train pour aller à l'autre bout du pays afin de dénicher des grossistes chinois

elle marmonne : « Je te comprends pas, depuis quelques mois tu cesses pas de répéter que ton commerce marche pas fort. »

l'enfant aussi est inquiet, il y a cette fille trop fardée en kimono brodé, l'excitée, la dévergondée, qui a parlé de voyager avec son père

la pluie a cessé pour de bon, le soleil s'installe enfin et le gamin va dans la cour, il a pris son petit tambour chinois dans la shed, il a trouvé des baguettes dans sa cabane sous le vieux peuplier une envie de parader dans la ruelle, d'aller au coin, devant la buanderie du Chinois, lui montrer qu'il sait jouer sur un vrai tambour chinois, il se dit que le buandier serait bien étonné, qu'il lui offrirait des bonbons, une pleine poignée de ses *klondikes* entortillés de papier ciré, ces friandises qui font si peur aux parents méfiants

les mères sont toutes de grandes peureuses, se dit l'enfant, il se voit devenu grand, il est au port, il part voyager enfin, sa mère pleure à chaudes larmes sur un quai et agite un grand mouchoir, il s'embarque pour la jungle au fin fond de l'Afrique, il sera un Tarzan, il y aura des lions, des éléphants, des rhinocéros, des hippopotames

il pourra les capturer, les vendre à des cirques, il sera riche

petite ondée subite, l'enfant entre et va jouer du tambour dans la cuisine, sa petite sœur a pris sa flûte chinoise et marche derrière lui, leur mère se bouche aussitôt les oreilles

avant de partir pour son magasin de la rue Saint-Hubert, le père offre au gamin une lanterne avec des franges dorées, de longs pompons de fils de soie rouge doré, des glands noirs : « Pour accrocher dans ta chambre, mettre au-dessus de ton lit, toi qui aimes tant la Chine... », le joueur de tambour se sauve et court faire son tintamarre sur le balcon d'en avant

à l'étage la grand-mère lance son cri habituel : « Iraistu m'acheter du raisin chez Di Blasio, du vert, tu veux bien, mon petit pape ? »

10

un lundi bizarre

nerveux, le père est parti avec son gamin et est revenu bien vite de sa tournée bimensuelle dans le Chinatown… bredouille encore

aucun paquet important, remarque l'enfant

seulement un sac de papier brun pour, comme toujours, ses chères nouilles, « les meilleures nouilles du monde », qu'il répète, et sa femme ricane chaque fois : « Tu vas virer en nouilles, mon pauv' p'tit mari ! »

le père sort de son sac un catalogue qu'il agite : « Mon p'tit gars, j'ai déniché une liste utile, des adresses à Vancouver », le gamin se renfrogne, il n'a pas hâte qu'il parte si loin

l'enfant remarque maintenant beaucoup de nervosité chez son papa qui doit aller de toute urgence à la rencontre de son frère cadet, le cantinier, toujours hilare, sur le train pour la Vieille Capitale

son papa en a le front tout plissé : « Un rendez-vous délicat, très délicat, faut y aller vite, ça va être l'heure de son arrivée en gare. »

et le père s'affaire à ramasser les agrès de son fils en marmottant des formules inaudibles

l'enfant n'a pas attrapé un seul petit poisson, rien, et, de mauvaise humeur, referme son coffre, plie le petit banc de tôle noire en route

vite, marcher, oui, très vite vers la gare des trains, plusieurs rues à l'ouest, et une fois arrivés, le garçon voit aussitôt, au fond d'une allée, son oncle en train de ranger ses effets dans un grand casier métallique

le gamin aime cet oncle toujours en galéjades, en mimiques comiques, si différent de son austère papa, un oncle capable d'imiter n'importe qui, n'importe quoi, vrai clown, ce frère de papa, quand il vient faire ses visites à sa belle-sœur qu'il aime tant faire rire avec ses imitations de Charlie Chaplin

le père va vers les casiers des employés, visage grave

Charlot est surpris de le voir, caresse la tête du gamin, fait ses grimaces de bouffon, mais le père le force à s'asseoir sur un banc de chêne : « Ton train avait du retard, non ? Il faut qu'on se parle tous les deux, mon p'tit frère, tu vas devoir réorienter ta vie, il y a des limites à tout… »

l'enfant est surpris par cette voix si grave, il en est gêné, l'oncle aussi

le père sévère secoue sa pipe, la bourre, tripote son paquet de nouilles, semble plus nerveux que jamais

dans la grande salle des pas perdus, des gens vont et viennent et l'enfant envie tout ce beau monde qui voyage, un jour, une fois devenu grand, lui aussi, il aura une grosse malle et un ticket pour visiter une autre ville que la sienne, partir pour un pays étranger, il se le promet

il n'écoute plus les remontrances paternelles, admire une grande statue sous la verrière du vaste hall et se dit qu'un jour, il fabriquera de ces belles statues, qu'il en fera installer à tous les coins de rue, des monuments aux enfants qui jouent il s'imagine devenu un sculpteur fameux, invité par le maire à produire de grandes statues d'enfants

maintenant le trio marche vers l'extérieur de la gare

« Notre mère, Léo, qui est si malade, s'inquiète énormément de ta conduite, elle a appris par un voisin tes rodages dans le Red Light, ça n'a plus aucun bon sens, j'ai promis de te raisonner, j'ai promis, Léo, maman se demande ce que tu vas devenir... »

arrivé sur le trottoir, le frère délinquant enlève sa casquette de cantinier du CPR et offre une bouteille d'orangeade à son neveu qu'il aime bien, qui rit volontiers de ses facéties, qui est si curieux de tout, qui lui raconte ses rêves parfois, qui lui donne de ses grands dessins en couleurs : « Ton papa, mon p'tit gars, il s'imagine qu'il est aussi mon père à moi, et il veille sur moi comme un curé ! »

le père lui donne une enveloppe avec des timbres chinois :

« C'est une nouvelle lettre de notre grand frère, là-bas, tu la liras rendu chez toi, en attendant faut que je te parle, allons dans un restaurant, ça sera pas bien long, tu vas voir, écoute, Léo, tu t'en vas sur tes trente ans, veux-tu finir en vagabond ? »

l'oncle a choisi un restaurant pas loin de la gare, tenu par des nègres, il y retrouve, chaque fois qu'il y va, des camarades de travail, des porteurs à la peau d'ébène

il n'y a pas de clients, ce n'est pas encore l'heure du lunch, sur une petite estrade, un grand type, un Noir géant, joue du saxophone

échange de saluts : « Je les aime, du monde toujours de belle humeur, ils sont pas riches mais si pleins de vie, et je les admire. »

le père s'installe à une table près de l'entrée: « Faut pas que tu deviennes la honte de la famille, on a un grand frère qui est un saint en Chine, oublie jamais ça… »

l'enfant sort son casse-tête chinois, il ne veut pas entendre, il saisit des mots étranges – *maladies honteuses, syphilis, gonorrhée, tes guidounes sales, des putains* – et cette expression qui revient souvent: « Ton maudit Red Light! »

le neveu se demande bien où se trouve au juste ce Red Light, l'oncle rigole, remue, se lève, se rassoit, se moque du grand frère, dit: « Grand bigot, vieux dévot, grenouille de bénitier, rongeur de balustre, jaloux, envieux… »

le ton monte, le gamin sort du restaurant et va derrière la vitrine d'où il les voit, devant deux verres de Pepsi-Cola sur la table de faux marbre rouge et blanc, penchés un sur l'autre, l'un qui gronde, l'autre qui sourit, les deux frères en querelle

quand il se rapproche de la porte moustiquaire, il entend maintenant le père calmé: « Ma vendeuse au magasin t'aime beaucoup, Léo, tu devrais la fréquenter, en faire ta fiancée. »

« Je dis pas non… », répond l'oncle

Le papa insiste: « C'est une fille brillante, travailleuse et dévouée, un très bon parti, tu dois te ranger mon p'tit frère, assez du bambochage, finis-en avec les *blind pigs* et ces prostituées du Red Light, c'est pas ta place, tu devrais le savoir, tu dois maintenant devenir un homme responsable. »

l'enfant est content de voir son oncle qui pose sa main sur le bras de son père, prend un visage sérieux: « Oui, c'est vrai, je vieillis, tu as raison, je vais changer, c'est promis. »

le père lui met la main sur une épaule : « Une fois marié, mon Léo, tu t'installerais avec Rose-Alba au logement de la rue Saint-Vallier, vous auriez des enfants… »

l'enfant voit son oncle qui achève d'avaler une cuisse de poulet, vide son verre, puis se lève, alors il rentre dans le restaurant

le saxophoniste se verse une bière, debout à un petit bar, fait claquer ses larges bretelles bleu, blanc, rouge, sourit de toutes ses grandes dents à l'enfant qui n'avait jamais vu encore de ces gens à la peau sombre, venus… d'où ? se questionne-t-il, d'Afrique ? là où vit Tarzan, son héros favori des bandes dessinées dans *La Patrie* du dimanche

sur le trottoir, le frère tousse comme pour s'éclaircir la voix : « Édouard, tu as bien fait de me raisonner, ta Rose-Alba, je vais y penser sérieusement, je l'aime bien ta vendeuse, sais-tu qu'on est déjà allés aux vues animées au Plaza, un samedi soir, elle m'a fait rire, 'est pas laide, j'aime son sourire. »

le père retrouve le sien, sort de sa poche des billets de tramway, semble très satisfait du dénouement de sa mission : « Tu vas voir ça, tu vas devenir un adulte normal, t'es pas un vrai maquereau, Léo, t'es mon p'tit frère, tu vas admettre que notre mère, seule, veuve, nous a bien élevés tous les trois, pas vrai ? Pense plus souvent à notre grand frère, là-bas en Chine, tu feras un bon père de famille comme tout le monde. »

l'oncle retire son manteau imperméable, le plie, le met sur son bras : « Oui, il est temps de me caser, tu as mille fois raison… »

le cantinier enlève sa casquette du CPR, les force à ralentir le pas, pour une fois il ne fait pas de grimaces, ne cherche pas à jouer le bouffon de la famille, c'est rare ils se rapprochent du terminus : « Sinon, tu finiras par tuer notre vieille mère qui s'inquiète tellement à ton sujet, tu peux pas savoir, je veux ta promesse solennelle, ici, maintenant, que tu vas changer de vie. »

l'oncle pose sa main sur la tête de l'enfant : « C'est une promesse, mon grand frère, sur la tête de ton gars… »

maintenant ils marchent, heureux, vers l'est, on voit de loin, virevoltant, tous les tramways du terminus, le fracas sonore excite le gamin, ils hâtent le pas

à bord, l'oncle toujours rigolard semble devenu vraiment songeur

assis sur un long banc de jonc tressé, le voilà qui tente de résoudre, la langue sortie, le casse-tête chinois de l'enfant à qui il dit : « Un jour, j'espère avoir un garçon aussi gentil que toi. Ce serait mon rêve, tu sais… »

l'enfant joue avec ses cuillères à pêcher, son petit coffre ouvert sur ses genoux, il se sent bien, son oncle l'aime, son père l'aime, sa mère, sa grand-mère aussi, ses sœurs, certains voisins, les marchands aussi, oui, tout le monde l'aime, il se sent tellement bien ce midi, si seulement son père renonçait à ce voyage sans lui au bout du monde, sa vie serait parfaite, pense-t-il

11

le vieil homme a cassé ses lunettes hier en revenant de la piscine, négligence conne, ne pas les mettre bien à l'abri dans leur étui rigide, clac ! la monture en deux, devoir maintenant prendre rendez-vous pour les faire réparer, en attendant, sortir l'ancienne paire et voir moins bien, surtout devoir, au fond de son gros fauteuil du salon, lire moins vite ses chères biographies, ces temps-ci, de Caldwell, de Poe, de Roth

maudite vieillesse !

quoi encore ? au tout début de cette semaine : roulant en ville pour aller collaborer – une commande bien rémunérée – à l'élaboration d'un projet, un « quizz-polar » de télé – accepte-t-il n'importe quel contrat, à son âge ? –, il a frappé une grosse limousine par-derrière, sur Côte-des-Neiges

badang ! il y avait un feu rouge clair, sa petite allemande en *loose canon*, maudite vieillesse ! sorti de sa voiture, il s'excusait piteusement en jouant le grand distrait

le frappé, lui, enrage, il vocifère des injures les yeux sortis de la tête

un migrant sikh tout enturbanné baragouinant un français d'occasion, engueulade à deux à la fin, mine farouche toute déployée du vieil homme quand il se fait dire « qu'il devrait rendre son permis de conduire », il bafouille et il lit de la pitié dans le regard de sa victime

le lendemain, reculant trop vite hors d'une ruelle, rebang ! nouvel accrochage, et le revoilà, penaud à cheveux blancs, s'excusant avec empressement à un livreur de pizza causant dans un anglais d'occasion

bosse au coffre, longue éraflure dans sa carrosserie côté passager : aux protestations d'un enragé qui examine son tacot, le vieil homme oppose volontiers ses aveux d'imprudence, de distraction, en vain : « Êtes-vous aveugle, trop vieux pour conduire ? »

policiers mandés par le Rital-à-portable, c'est pourtant le petit cabriolet du vieil homme qui a été frappé, qui a tout pris, mais il refuse de porter plainte, crainte d'un nouvel examen, maudite vieillesse !

jamais deux sans trois, le surlendemain, sortie d'un parking souterrain, rue Laurier, sans regarder ni à gauche ni à droite… et coup sec, frein… bruit sourd… une drôle de guigne, série néfaste

le vieil homme sort, va voir dans la voiture en diagonale du coin de rue : jolie jeune femme affolée, culpabilisée, comme prostrée, le visage dans les mains

il entre dans sa belle bagnole, s'installe à ses côtés : « Je n'ai rien, et vous, madame ? Calmez-vous, c'est moi le coupable ! »

presque en larmes, elle qui s'excuse sans cesse, bafouille, le questionne, toute angoissée : « Vous n'avez vraiment rien ? »

il la rassure tant qu'il peut, lui remet un formulaire titré *Constat à l'amiable,* donne ses coordonnées, ultranerveuse, elle offre de le conduire à une clinique proche pour des examens : « On ne sait jamais, monsieur… Préférez-vous un hôpital ? »

« Mais je n'ai rien, madame, et c'est une vieille voiture… avec éraflures toutes neuves… »

il veut s'en aller mais elle, tremblante, tente encore de le retenir, il se sauve

maudite vieillesse !

le vieux grand dadais, avant que ne survienne un accident très grave, songe à l'étape « fin de l'automobile », ce qui signifierait quitter ce village qu'il a appris à aimer, trouver un logement en ville, voyager par bus, métro et taxis, sinon… un de ces jours, pas un bang ! ordinaire mais un vrai crash le réduira en charpie et l'enverra à la morgue

ses deux grands enfants endeuillés dans un salon funéraire, ses cinq petits-fils racontant leurs souvenirs du « cher papi » qui jouait volontiers avec eux, gamins, dans tous les parcs du nord de la ville

quatre avertissements en une seule semaine, c'en est assez du vieillard distrait, non ?

quitter maintenant « de force » sa piscine, quitter Bouddha dans ses vapeurs, Vieux Os affalé au fond d'un transat, Rose et Bleu se pavanant, Dauphin minaudant autour du bain à remous, l'Ours en nage nageant, 125-vélos secoué de frissons

Squelette l'aborde quand il veut partir : « Avez-vous pensé à mon bon Dieu le Père ? Non ? Oui ? »

ne pas répondre, 125-vélos se frotte vigoureusement au bord de l'allée réservée, pause : « Mon paternel louait aussi des bécanes à deux, savez bien, ces tandems, avec des pneus ballon, si populaires à cette époque ? Aviez-vous essayé ça ? »

« J'avais mon vélo à moi, pour aller au collège. »

M. Lessard, barbier bavard, sort du spa et aperçoit le vieil homme, trottine vite vers lui : « Avez-vous su ça, Théo, notre quincaillier, il vient d'être condamné, un horrible cancer, le colon, il s'en sortira pas, je le crains... »

au-dessus du jacuzzi, le vieil homme voit – il n'avait jamais remarqué – un autre hublot bleuté comme celui sous l'horloge, encore des ombres mouvantes, aller vérifier ? non

il a perdu un bouchon à oreilles, il en perd un par semaine, il en a eu des gris, des bleus, les avant-derniers, roses, minuscules, les derniers, en tire-bouchons et transparents

au fond de son sac, des bouchons de cire, malléables

assez, sortir d'ici, les fenêtres sur la piscine dans le couloir en ressaut, trop de monde, venir plus tard, ou plus tôt ?

aller faire chauffer cette excellente soupe aux légumes achetée à l'École hôtelière, semblable à « la soupe de maman », la nostalgie des « petits vieux », avoir lu, une épaisse bio encore, sur un Simenon vieilli ne se nourrissant plus que des plats de Liège, à la façon de sa mère

signer le cahier des présences, remettre chaussons et bottines dans un couloir, dans son cagibi, saluts de Short Rouge, son beau sourire, escalier, hall... dehors temps doux, avril s'installe, la neige fond très vite sous les sapins et les grands cèdres, de l'eau ruisselle dans les allées autour des jardins de l'hôtel, bientôt le vrai printemps

dans son auto, le sac de vieilles lettres, il les traîne avec lui quand il doit aller faire du lavage derrière le resto des Vietnamiens

en redécouvrant les lettres de Szépingkai, il a repensé au gamin heureux qu'il était, à ce papa habile au crayon, lui dessinant tout, n'importe quoi, la carafe à vin, le grille-pain, la cafetière, le « canard » à faire bouillir l'eau, la machine à coudre, la machine à laver, la vieille chatte, grosse bête tigrée qu'on disait « chat marcou », il n'a jamais su pourquoi

qu'il aimait ces dessins réalistes, suivre des yeux son crayon à mine de plomb si habile sur le papier brun du boucher, dessins magiques pour lui à trois, à quatre, à cinq ans, images crayonnées vivement des objets inanimés de la maison… « avez-vous donc une âme ? »

il songe au poète Francis Ponge, à sa cafétéria quand il enseignait l'histoire, il était venu pour donner des conférences, lui avait dit, fasciné : « Il faut absolument écrire sur vos escaliers extérieurs partout », Ponge lui avait paru un grassouillet garnement avec des yeux guetteurs de tout

il roule, a baissé les vitres

on vient d'installer un large panneau dans la devanture du restaurant grec du carrefour : *Rénovations. Fermeture jusqu'en juin*

Bouddha le dépasse, klaxon discret : deux petits coups, longs lézards de brume à sa gauche, du côté du Sommet bleu

deux jeunes garçons sur des planches à roulettes rient aux éclats près du boisé des Jodoin, ces rires si clairs !

l'athlète de la piscine, bien fier, s'admire devant le grand vieux miroir de la vitrine du *Steak House*, il tient un séchoir dans une main, le vieil homme le voit qui sort du fond de teint, comme il fait au vestiaire, il s'en applique avec grand soin, sa surprise

près de chez lui, dans un détour d'escalier du parc-amphithéâtre, couple de jeunes touristes asiatiques, visiblement très amoureux, le garçon fait asseoir sa jeune égérie sous une haute sculpture décorative en béton, sort son appareil photo numérique, éclair dans le soir

le vieil homme stoppe, offre de faire une photo du couple, l'amoureux accepte aussitôt

clic! il remonte dans sa voiture, tantôt à l'hôtel, il ne se souvenait plus de l'emplacement où il l'avait garée, encore une fois il l'a cherchée longtemps

maudite vieillesse!

maudite vieillesse!

il arrive, il voit l'immense bosquet dans le parterre près de l'entrée... ses fleurs chéries

il a mal soudain, coup au cœur, engourdissement au bras gauche... il déteste, pourquoi est-elle morte? pourquoi à New York et pas à Rome ou à Paris? pourquoi en septembre et pas en janvier ou en juin? pourquoi un 11, pas un 8 ni un 13 du mois? pourquoi cette folle histoire: avoir été l'otage impuissante d'un acteur devenu fou, être tuée avec ce producteur véreux, se faire tuer dans une tour, ce maudit 11 septembre 2001, à New York...

une fatalité qui lui avait arraché l'âme, Rachel tuée

sa vie tuée

il est l'inconsolable veuf qui tente de garder un reste de bonne forme, de résister à la mort annoncée

il a oublié le verdict fatal, ne veut pas y penser, à quoi bon? il se sent bien, en bien meilleure forme depuis l'annonce indécente de son toubib

il sait que chacun a son heure, la fatalité, le *fatum* grec

faire mentir ce médecin

devenu un dangereux distrait, se cognant sans cesse aux voitures, il pourrait mourir d'un bête accident, narguer ainsi le savant docteur il ralentit, se sent bien : ruisseaux d'eau vive partout, odeur mouillée maintenant, bonne à respirer

ira-t-il tantôt voir ce qu'offrent ce soir les apprentis cuisiniers de cette école voisine ?

manger

toujours manger, avec désormais bien peu d'appétit

c'est décidé, ce sera son dernier été ici, il rentrera en ville dès septembre, il y sera plus en sécurité, il n'ira plus nager, mènera la paisible existence de celui qui attend la fin

il stationne l'allemande en face du porche rustique puis il aperçoit un écureuil roux tout nerveux en plein milieu du chemin… traversera, traversera pas ? il se décide, fonce vers le parterre, court vers l'escalier sur le côté de la maison qui mène au lac

si jolie petite bête, si nerveuse, si dorée

le vieil homme descend cet escalier, se rend sur la galerie, le soleil se couche derrière la colline d'en face

il imagine sa piscine de l'autre côté du lac, sous la verrière-salle à manger, les fidèles, l'Ours et Squelette avec son bon-bon Dieu, 125-vélos…

tiens, première visite cette année de ses fidèles tourterelles juchées sur un haut sapin, il ouvre une chaise de toile rouge, observe les deux mangeoires suspendues, vides, il faudra les remplir une dernière fois

les tourterelles tristes réapparaissent en vol, puis atterrissent sur la galerie

la beauté, deux boules d'argile cuite, il aime sa campagne… s'en aller…

il se sourit à lui-même, quoi ? on voit des écureuils en ville et peut-être de jolies tourterelles

Rolande, la grande amie indispensable, téléphonera peut-être tantôt, elle lui a parlé ce matin d'un film fraîchement arrivé au cinéma du bas de la côte
Mourir légèrement, le titre
un film iranien

12

il ne se sent pas bien, douleurs à l'estomac, crampes aux deux jambes le matin, étourdissements fréquents, il a peur, pas envie d'aller nager, mais il y va tout de même, mourir le plus tard possible

il y va, vestiaire, case libre introuvable, son linge mis sur des patères, la douche, personne au sauna, en refermer la porte, Short Rouge, accorte comme toujours, son beau sourire enfantin, fenêtres très givrées à la piscine, ne plus voir que du blanc, du flou partout : surprise du jour, dès potron-minet, une tempête de neige

tant de neige en avril ! tempête forte et, de nouveau, recouvrement de blancheur sur les collines des alentours, dans les rues du village, partout

comme un saut en arrière, l'hiver qui insiste, une persistance mal venue, un recul inattendu, comme on vient de faire avec horloges et montres, chaque année, le vieil homme a l'impression de perdre une heure de sommeil

arrivée tantôt sur la colline, le stationnement quasi désert, mais le vieil homme avait oublié son sac

« maudite vieillesse », a-t-il encore grommelé

retour à la maison, cinq minutes, et revenir aussitôt

autour de l'hôtel, ouate étincelante donc, dans tous les bosquets, l'hiver qui se reprend, qui avait oublié un chargement céleste, son dernier coup avant-hier, le hall de l'hôtel rempli de Latinos, « des Argentins riches et très fidèles à notre hôtel », lui a dit une buraliste échevelée et débordée, avant d'ajouter : « On a aussi un congrès qui rapporte gros, de grands bourgeois du Brésil qui dépensent beaucoup », elle rit

entre deux saisons, notre été torride et notre hiver arctique, l'hôtel fait « de bons prix »

hier, des juifs d'une secte connue, tous venus de l'État de New York s'il en juge par les plaques des voitures vues dans le parking, à la piscine que des hommes et des garçons, dans les couloirs, des femmes en longues robes noires, certaines très jolies, toujours rondes, dans la jeune vingtaine, avec déjà quatre ou cinq marmots accrochés à leurs tuniques sombres

un congrès chasse l'autre dans ces hôtels de villégiature, entre la fin de l'hiver et l'arrivée du printemps : c'est parti pour la série à l'orée du printemps, l'autre série de congressistes sera pour fin octobre et novembre

le ski n'est plus guère praticable, excepté pour les enragés sur une neige de gros sel

autre congrès ce jour-là, donc le hall plein de juifs dynamiques, remuants, parlant très fort, des fondamentalistes – sorte d'intégristes avec cheveux en boudins, frisettes cocasses aux joues, rubans, étoles aux flancs, brassards, chapeaux ronds, certains en fourrure noire

le vieil homme questionne Short Rouge qui lui explique : « Tout est *booké* jusqu'au mois de novembre », donc jusqu'après le bel étalage naturaliste « de sang et d'or » aux érablières

les gens de l'hôtel sont de bonne humeur, ils ont déjà l'assurance d'une deuxième bonne vague de congrès divers

marchant dans un couloir, bousculé par les chambreurs, le vieil homme se souvient de tant de rencontres-séminaires ici même, de journalistes ou d'écrivains, ces réunions étaient appréciées par de farouches solitaires, ce que sont souvent écrivailleurs et écrivaillons

réunions de « week-ends subventionnés », pas toujours pédantes, parfois avec des conférenciers savants, de vrais « illustres », parfois avec de « célèbres » inconnus, tristes génies bafoués, sans aucun lectorat, louangés par des happy few, des méconnus avec, bien entendu, du talent extrafort, des docteurs au sein de coteries de « bien branchés », mais aussi séminaires appréciés, animés par de vraies « vedettes en belles-lettres », venues de Paris, Rome, New York

c'était dans une autre vie, songe-t-il, le mois dernier il a regretté d'avoir accepté une invitation à « jacasser livres » pour le club de lectures d'un village voisin : pénible impression de radoter, il s'est juré de ne plus accepter

aux colloques-en-hôtel de sa jeunesse, tous jouaient leurs petites partitions, le tableau égotiste des affirmations appréciatives – « je suis le meilleur » ou « je suis le plus fort » –, choquer pour choquer parfois ou propos de cuistres, bien confus, liés à la sémiologie, au structuralisme, quelle époque, ces années 1960 !

aussi, au contraire, des déclarations sincères, avec des aveux troublants, mode de l'autofiction, anecdotes audacieuses, confessions piquantes

c'était l'admiration des introvertis ou bien la détestation des pudiques

quoi ? il fallait « humaniser » l'écrivain de la saison avec cette mode des aveux non sollicités, remous dans la salle pour cause d'impudeur totale, des révélations gênantes à l'occasion, capables de mieux « incarner » le littérateur fêté, un terrible besoin de strip-tease

on y dévoilait des projets, de pléthoriques projets pour cinéma ou télé-à-séries, argent promis : les curieux écoutaient pieusement des extraits récités avec dialogues… « en primeur » et en attendant des subventions qui ne venaient jamais… « non-fiction », genre répandu comme lierre désormais

le vieil homme en danger de mort fuit ces vains caucus

tantôt, marchant vers sa baignoire, il a dû laisser passer un marmiton énervé, les bras chargés, qui s'excusait sans cesse nerveusement, chapeau blanc sur le bout de la tête

le vieux condamné se souvient de l'arrière-cuisine de ce même hôtel où il fut plongeur durant deux mois : il avait vingt ans, appartenait alors à un bien modeste « centre d'art » qui agonisait et il devait manger

aujourd'hui, l'eau du bain géant lui paraît plus verte que bleue… ses pauvres yeux ?

vu tout à l'heure au vestiaire de jeunes ouvriers s'activant aux rénovations des douches, on décidait de laisser les abonnés – « piscine seulement » – se dévêtir et se revêtir

partout traînent des outils, des morceaux de toile salie, des pièces de placoplâtre, des carreaux de céramique blanche, des toiles étendues au sol, suspendues à des murs

dans la piscine, deux petits Chinois rieurs nagent en s'ébrouant : le vieil homme se souvient de sa fascination pour la Chine, gamin, et d'avoir, depuis deux décennies, dit si souvent à Rachel vivante : « Si on allait en Chine ? »

mais sa Rachel n'y tenait pas du tout, lui répétant en riant : « Toi et ta fameuse Chine fantasmée, pourquoi pas la Grèce ou l'Égypte, la Turquie ? »

la Chine ne la captivait pas du tout, il ne sait pas trop pourquoi

il fut donc l'éternel rêveur de la Chine, celle des cartes postales en noir et blanc, des photos de l'oncle exilé, il souhaitait voir la Chine de Szépingkai, nommée aussi Szepingche, aller vérifier ce qui pouvait rester debout d'un séminaire, d'un hospice, d'un couvent, d'une école… la Chine des lettres qui fascinaient un gamin pauvre

que restait-il du projet chrétien d'avant Mao-le-conquérant ? rien peut-être

une vie gaspillée alors ? écroulés ses rêves d'enfant, écrasés, disparus ? trop tard maintenant : il n'ira jamais en Chine avant de mourir

en attendant, le vieil homme nage autour des joyeux enfants chinois

quand son père est revenu de son voyage de repérage sur les rivages du Pacifique, il était déçu, sa valise ne débordait que de catalogues illustrés : « Bof, ça valait pas la peine, on a tout ça ici dans le Chinatown », avait-il avoué

il revoit son père dans le logis natal, parlant à sa vieille mère et à sa femme d'un voyage futile, son père qui lui avait montré un cahier : « Regarde ça, mon p'tit gars, là-bas, leur Chinatown c'est dix fois le nôtre ! »

sa mère semblait si heureuse de le retrouver, les enfants davantage encore

il restait le gamin collé sur son père, excité de savoir qu'il le ramènerait pêcher au bord du fleuve mais, coup de tonnerre : peu après, un matin : « C'est fini, je vais transformer mon magasin, on arrive trop mal à joindre les deux bouts. »

silence lourd dans la cuisine : « Voyons, en magasin de quoi ? », demanda la mère

« Dans le train, en revenant, j'ai pensé à un restaurant, oui, le cinéma Plaza amène des foules juste en face de ma boutique, pas vrai ? »

le vieil homme se rappelle qu'il avait deviné, enfant, « la fin » de quelque chose

« Quoi, un restaurant ? » s'était exclamée la mère dépitée

dans la piscine maintenant les enfants de Chine supplient leur maman pour aller au spa voisin, très impatiente elle refuse obstinément, puis le papa chinois apparaît devant le bureau vitré des sauveteurs, habillé luxueusement – un autre immigrant riche de Hong Kong ?

la mère ouvre de longues serviettes marquées du nom de l'hôtel et fait signe : la fin de la baignade venait de sonner, mal résignés, maugréant, bougonnant, les enfants grimpent lentement le petit escalier métallique

maintenant, c'est le barbier du village qui barbotait pas loin : « Avez-vous su la nouvelle, tenez-vous bien, une grosse nouvelle, on va construire un théâtre en plein air, oui, m'sieur, c'est voté et approuvé, un gros budget, une patente énorme à ce qu'il paraît, on en avait besoin, ça va remettre la place sur la mappe. »

le vieil homme ignorait la nouvelle qui enchante le coiffeur

verra-t-il cette construction ? se demande-t-il

le barbier s'éloigne plein de pep, il y a foule maintenant, tant qu'il craint de se cogner aux jeunes baigneurs en nageant

l'allée protégée est prise par une nageuse robuste, une sexagénaire au visage tout rougi, qui porte un casque de bain d'un rouge luisant, un haut de maillot d'un jaune aveuglant, le bas en orangé ultra-lumineux : une énergique illumination marine – il n'en revient pas –, un incroyable oiseau exotique, flamboyant, une véritable torche allumée

le vieil homme va s'asseoir dans l'une des chaises entourant la baignoire, l'heure du souper approche et il va retrouver un peu plus d'espace, il n'y a qu'à attendre un peu

il prend sur un banc un vieux numéro du *National Geographic*, mai 2005, il feuillette : belles photos comme toujours, un reportage sur des canyons en Utah, au Colorado et en Arizona, le Monument Valley, tiens ! la chère Chine de son enfance, un long article illustré sur les fossiles que l'on vendait en déjouant lois et règlements officiels, un commerce lucratif, clandestin, regrettable, du *cash and carry* très dénoncé par les paléontologues du monde entier

autre reportage : les si jolis poissons des tropiques, devenus rares, à protéger aussi, pages suivantes, surprise ! la binette d'un certain Ben Weider, qu'il connaît, riche marchand d'haltères dans le monde entier, bonhomme tout dévoué – sa lubie – à la cause du « Napoléon Bonaparte empoisonné par ses geôliers »

il se rappelle : on l'avait embrigadé pour un projet de film sur ce sujet, et son envie de rire dans le vaste bureau du millionnaire, tout encombré de reliques acquises à prix fort, aux murs garnis de gravures, de tableaux sur l'Empereur, son idole, une chapelle ardente cocasse consacrée à ce héros sanguinaire

il tourne les pages : long article sur des bancs de coraux, très menacés, un monde sans cesse fragilisé, puis article sur la toundra, puis sur le pôle Nord

il feuillette, guette les départs, comme prévu, enfin de la place pour nager, s'en va aussi la géante multicolore, il plonge, strident coup de sifflet, sourcils froncés, regard mauvais d'un moniteur en short rouge ! sa gêne, le vieil homme avait oublié : *Interdit de plonger*

voici venir quatre nouveaux gamins asiatiques, mère soucieuse encore, énervée de les voir si frétillants, s'amène leur… grand-père ? un géant moustachu, un ancêtre très calme, regard sévère, longue canne à poignée de cuivre

le vieil homme songe à un cliché, image stéréotypée du vieux sage mandarin venu de l'empire du Milieu, semblable à ces statuettes d'argile émaillée vendues par son père et qui le mystifiaient, gamin, augustes personnages avec de longues moustaches tombantes

il s'en va

retourner chez lui et attendre… attendre quoi ?

poursuivre sa lecture, une biographie illustrée

Tchekhov

il éclate soudain en larmes, vite ce sont des sanglots, il étouffe, il n'arrive pas à se calmer, il tremble

il pleure souvent depuis le fatal verdict du médecin, c'est plus fort que lui, son amie Rolande, chaque fois, en est troublée et ne sait comment le consoler, le rassurer, alors elle pleure avec lui, le prend dans ses bras

pour la première fois il songe à en finir

mais comment ?

13

l'enfant a deux « meilleurs amis », le p'tit Lanthier, sept ans, petit pour son âge, qui possède, « le chanceux ! » répète le gamin, une armée de soldats de plomb peinturlurés, toute une armée, il ne manque aucune réplique des corps d'armée au combat ! son père est un militaire de carrière, « l'enfant au père parti », dit la mère

le gamin à la casquette rouge admire souvent, dans une vitrine, l'imposante collection de médailles militaires du caporal Lanthier, une plaque de laiton dit : *Héros de la guerre de 1914-1918*

il y a aussi le grand Desbarrats, cinq ans et demi comme lui, « grand pour son âge », insiste sa mère, Desbarrats l'invite souvent chez lui, pour jouer à des jeux sans fin avec sa formidable flotte de petites autos, aussi de camions en tôle colorée

les deux amis du garçon sont jaloux l'un de l'autre et refusent l'idée de l'enfant-sans-père qui voudrait bien mêler les petits soldats avec les petites voitures

il va donc chez l'un et puis chez l'autre

quand il joue chez lui, il y a ce nouveau-né, « le p'tit frère à quatre pattes », qui tente sans cesse de défaire l'ordre imposé aux soldats ou bien ose ramper parmi les flottes de camions miniatures, quel embarras ce poupon qui crapahute, baveur, suce au bec, chaque fois le garçon fait appel à sa mère pour qu'elle vienne ramasser ce « colis » nuisible aux guerres qu'il faut livrer de toute urgence

le gamin a questionné ses amis sur ce que signifient ces mots de *guidoune, Red Light, prostituée, gonorrhée*… rien, ils n'en savent pas plus que lui, hélas

hier, la grand-mère à l'étage lui a offert un cadeau pascal, joli missel à tranche dorée avec enluminures archi-colorées, images rituelles de la messe aux coloris vifs

l'enfant, sans comprendre encore la messe, ne cesse de le feuilleter, ce livre qui lui est si précieux

comme pour ne pas être en reste, ses deux grandes sœurs lui ont donné à Pâques un bon paquet d'images pieuses, toutes récoltées pour « bonnes notes, bonne conduite » à leur école des sœurs de Sainte-Croix

l'enfant a bien fait voir son contentement car il est fou des images

il ne l'a pas dit mais sa préférence va à celles envoyées de Chine du Nord

il montre souvent au p'tit Lanthier et à Desbarrats sa collection de cartes postales de l'oncle exilé

pour faire bonne mesure, il a offert à ses trois sœurs une de ses précieuses fleurs chinoises magiques, sorte de gros pois chiche qui s'ouvre – c'est comme un miracle ! – dès qu'il est plongé dans l'eau, mais, inquiet, l'enfant a constaté qu'il ne lui en reste que six de son paquet de douze

Lanthier et Desbarrats en ont eu chacun une, c'était obligatoire vu le prêt fréquent de leurs jouets, il se dit qu'au retour du père il lui en quêtera un nouveau paquet

il a relu et relu la dernière lettre de l'oncle et ne cesse d'imaginer cette vieille dame Keu, la moribonde qui, avant de mourir, tenait le crucifix à l'envers, refusant le baptême, cet échec du missionnaire le rend perplexe, il a appris que sa religion catholique, la seule vraie, ne gagne donc pas toujours avec ces vieux Chinois qui résistent et veulent conserver leurs dieux

aujourd'hui, soleil fort, nuages roulant à toute vitesse, le gamin s'est installé chez Raymond Lanthier, sur le balcon du troisième étage au plancher rempli de petits soldats

il est un valeureux général qui dispose ses troupes en rangs bien ordonnés, tanks et canons mobiles en avant, les cavaliers armés en arrière, les jeeps au milieu avec les artilleurs, les simples troupiers

ah, faire la guerre, à qui ?

il ne cesse d'entendre parler de sombres prédictions, des rumeurs d'une guerre, mais quand ça ?

il y aurait de méchants Allemands, envahisseurs, il y a ce terrible Hitler, caporal comme le père de son ami, un dictateur farouche qui menace tout le monde, lui, ira-t-il à la guerre un jour ?

il aimerait bien, s'y sent si bien préparé, il n'y a qu'à admirer son armée lilliputienne sur le balcon des Lanthier

le voilà qui voulait mener une attaque terrible contre les troupes du petit copain mais sa sœur sur le trottoir d'en bas crie : « Tu étais là, toi, on te cherchait partout, descends vite, le souper est prêt, t'es en retard, arrive, maman est furieuse ! »

à regret, il doit sortir de son monde

l'enfant ne joue pas, l'enfant fait vraiment la guerre

comme, hier matin, il était vraiment ce garagiste entouré de remorqueuses, d'ambulances, de camions de toutes les couleurs, de pick-up légers livrant des marchandises

non l'enfant ne joue pas

à la fin du repas, les deux grandes sœurs ont terminé leçons et devoirs et c'est l'heure des prières du soir autour du lit dans la chambre des filles, la mère, les mains jointes, les yeux fermés, conclut : « Faites, mon Dieu, s'il vous plaît, faites que notre père revienne de l'Ouest sain et sauf, qu'il réussisse de bonnes affaires dans son voyage et que son magasin devienne prospère, ainsi soit-il ! »

« Ainsi soit-il », fait le chœur des petits

le gamin va à son lit et enlève son linge, toujours « trop vite sali », souligne sa mère, il revêt son pyjama puis va ranger ses jouets qui traînent, toupie, jeu de blocs, il va à la fenêtre, le ciel sombre est nu, des criquets chantent tristement, il rêve à son père au bord de la mer

est-ce qu'il verra c'est quoi une mer un jour ?

à côté, dans sa couchette de fer à barreaux, dort à poings fermés ce petit frère qui ne grandit pas bien vite, il descend le store, demain, un samedi, il lui faudra accompagner sa mère au marché public voisin avec sa voiturette, il y aura encore des poules vivantes, il entendra encore les cris des maraîchers

il y aura de l'animation sous toutes les halles et l'enfant sera heureux de respirer les odeurs variées

heureux aussi de revoir ces enfants des campagnes environnantes juchés dans les boîtes des camions aux bâches relevées ou derrière les étals, enfants transformés en petites vendeuses et vendeurs, chaque fois il écoute les vantardises des cultivateurs aux grands chapeaux de paille, aux chemises à carreaux, aux bretelles étincelantes

il s'amusera encore de les voir cracher sans cesse, ces forts gaillards aux visages rugueux, aux barbes mal taillées, de les voir discuter âprement les prix contestés par des voisines de sa rue

couché maintenant, l'enfant se souvient des photos de marchés chinois, il aimerait aller voir des fruits et légumes inconnus, tout examiner

ah oui, sortir de son patelin une bonne fois, découvrir d'autres mondes, un jour il ira voir tout cela, il se le promet

oui, il ira en Chine lui aussi

il apportera un violon tout neuf à l'oncle qui s'est fait voler le sien et il ira combattre tous ces satanés brigands qui guettent sur des chemins mauvais les honnêtes habitants autour de Szépingkai

son oncle serait fier de lui

il ne comprend pas trop sa sœur qui est revenue de l'école, encore hier, en proclamant fièrement : « Maman, pour dix sous économisés, on a acheté un autre petit Chinois, j'ai choisi la photo de la plus jolie des petites filles », cela lui semble bizarre et il a dit : « D'où ils viennent, ces enfants à vendre, notre oncle n'en parle jamais, à quoi ça sert au juste, ces achats ? »

Lucille, l'aînée, n'a rien dit, ni sa mère

est-ce bien vrai ces histoires d'enfants chinois à vendre ? il en doute

un dimanche, il y a une quinzaine de jours, avec son père pas encore parti et ses trois sœurs, la petite Marielle et les deux grandes, il est allé admirer un cirque ambulant à cet orphelinat à quelques rues de chez lui, il en a vu, des orphelins, plein la cour autour d'une grande tente de cirque forain, et il a dit à son père : « Ces orphelins dans leur estrade, est-ce qu'ils sont à vendre comme les petits Chinois ? », pas de réponse, rien, le père a rallumé sa pipe toujours éteinte, comme celles des maraîchers, il va économiser ses sous lui aussi… pour aller en Chine, vérifier tout ça sur place

il ira un bon jour, il en est certain, il éprouve tant de hâte à vieillir, ah oui, rencontrer dans une rue de Szépingkai ce barbier comique, ce bedeau zélé, voir ces dragons menaçants, ces autels aux morts, ces cérémonies qui le fascinent tant avec des marionnettes de licornes

il ira un jour

14

malgré, dans l'air, l'annonce d'un nouveau printemps, le vieil homme se sent mal, fragile, il est encore tombé hier soir en voulant changer une ampoule dans sa cuisine, grimpé sur une chaise

douleurs aux reins et à une cheville, pas envie d'aller à la piscine

la neige fond à vue d'œil, on dirait, il s'installe dans une chaise longue face au soleil encore timide, sur la longue galerie côté lac

soudain il fond en larmes sans trop savoir pourquoi, sans raison précise

un petit oiseau rosé se pose sur la rampe, la beauté ailée, il cesse net de pleurer

il pleure pour des riens désormais, sa fidèle amie Rolande aussi, elle lui a dit qu'elle a « la larme facile »

c'est aussi cela, vieillir ? pleurer pour rien ?

il tient sur ses genoux sa boîte à souliers remplie des vieilles lettres retrouvées de l'oncle exilé, foin de chronologie, il pige la dernière lettre, la toute dernière avant que l'oncle bien mal en point, amaigri, ne soit rapatrié, il se souvient, en 1945, il n'avait plus six ans, il étudiait dans un collège de prêtres sulpiciens à quelques rues de chez lui, son père ne l'amenait plus nulle part, ni au port, ni dans le quartier chinois il restait enfermé dans son restaurant du sous-sol à cœur de jour avec sa clientèle de jeunes zazous effrontés, aussi avec les grands élèves d'un *business college* voisin, c'était bien fini le temps de jouer aux blocs chinois, de se pâmer devant des fleurs magiques qui s'ouvrent dans l'eau, il devait, laborieusement, étudier le latin et le grec ancien

De Szépingkai enfin délivré,
Mon cher petit frère, chère famille,

J'imaginais vos angoisses durant mon si long silence. Quatre longues années sans nos lettres, nos photos, les cartes postales. Une éternité. J'en pâtissais. Il nous était strictement interdit d'écrire à l'étranger. Parfois, bien rarement, comme par accident, nos gardiens japonais me remettaient une de vos lettres. Ainsi, quand j'ai appris la mort subite de notre mère, tu peux pas savoir le… choc! Par contre, quel bonheur d'apprendre que ton grand garçon était – comme miraculeusement – guéri de son strabisme et, très bonne nouvelle, de sa bronchite asthmatique chronique qui vous inquiétait tant. Ne serait-ce pas maman qui a pu implorer Jésus et tous les saints au paradis?

Que je vous raconte ces derniers temps. Vous dire d'abord l'émotion quand j'ai reçu des dessins de lui, c'était en 1942, il avait douze ans alors, était en soutane de velours rouge avec joli surplis de dentelle et il tenait un flambeau de cérémonie, au bas de son dessin j'ai reconnu ton écriture, tu avais mis: « Un futur prêtre comme toi? »

Bon, comment bien vous résumer ces années de détresse totale? Dès la fin de 1941, ce fut: « Défense absolue de sortir des installations. » Ordre du gouvernement (japonais) du Manchukuo et de leurs zélés « collaborateurs » chinois. Des

consuls d'Angleterre nous avaient avertis : « Fuyez, fuyez vite », et nos supérieurs ordonnaient : « Discontinuez toutes vos œuvres. Diminuez le personnel. Débrouillez-vous avec les restes de budget. Les fonds sont gelés. Plus le droit de vous envoyer de l'argent. » Nous étions donc bloqués ici à nos risques et périls. Tu peux l'imaginer, nous nous attendions au pire. Le 7 décembre 1941, supérieur et procureur sont jetés en prison ! Grand émoi ici. C'est la guerre totale. Les 11 et 12 septembre 1942, nous tous emprisonnés aussi, traités fort brutalement par des policiers de très mauvaise éducation. Vitement nous plions donc bagage et sommes conduits au camp de concentration improvisé.

Fin de notre liberté, mon petit frère, nous avions carrément refusé d'abandonner nos ouailles et c'est le prix à payer. Le 13 décembre, nous nous retrouvons, démunis, au milieu de nos malades, des infirmes, des vieillards misérables. Aussi avec nous, d'autres missionnaires. Des Américains, des Hollandais. Des Belges aussi. Cent vingt-trois prêtres prisonniers mis dans un espace – un orphelinat confisqué – bon pour un maximum de cinquante enfants. Des sardines ! Ils étaient une quinzaine de gardiens qui jetaient leurs cendres de cigarettes dans les bénitiers, circulant souvent tout nus dans les corridors quand ils allaient à la salle de bains, crieurs et faisant un vacarme d'enfer.

L'ex-chapelle de ce petit orphelinat devenait une caserne de grossiers soldats. Ils se méfiaient de nous sans bon sens, répétant : « On abattra sur place le moindre fugitif, sachez-le. » Pour nous tourmenter, ils chantaient leurs victoires : la chute de Singapore par exemple, la prise de Hong Kong, leur débarquement triomphal aux Philippines. Ils nous forçaient à crier avec eux des « Hourra ! » et des « Vive la grande Asie ! »

Humiliation permanente sous leur joug.

Deux fois par jour, les cent vingt-trois devaient s'aligner pour l'appel le long du mur d'enceinte et payer des tributs aux empereurs du Manchukuo et du Japon en nous inclinant du côté des deux capitales. En tremblant sous la botte de l'ennemi, certains de nos jeunes prêtres chinois furent ridiculisés et battus devant nous, nous imaginions le triste sort fait à nos catéchumènes séminaristes dans d'autres prisons. Certains matins, nos geôliers occupés ailleurs, nous réussissions à dire notre messe à grande vitesse. Nous passions nos longues heures à étudier les langues, les sciences actuelles, surtout à prier pour que cessent ces horribles champs de bataille partout dans le monde.

Des jours passaient et puis des mois…

Nous tentions d'organiser des parties de cartes, des bingos aussi et les vainqueurs gagnaient des objets inutiles pris en cachette ici et là dans le camp. Alors, une gaieté toute maigre se faisait. Il y avait parfois des petits concerts, des séances improvisées. Des couvertures, des draps usés, des tapis de tables servaient aux costumes et aux décors de misère. Ayant prévu le drame, nous avions accumulé des provisions mais nos gardiens s'emparèrent de tout cela et aussitôt se firent des banquets face à nos tables dégarnies. Affamés, nous en avions l'eau à la bouche.

Bientôt, plus de viande, plus de sucre, plus rien presque, nos estomacs se fatiguaient de nos sempiternels oignons bouillis et du millet à la sauce « de forte espérance », comme on disait. Vite, on compta vingt-cinq malades graves. Les gardes, l'œil méchant, ricanaient, vociféraient : « Honte à vous ! Vous mangez le pain du peuple. » On nous criait : « Partez ! Quittez vite notre pays ! Allez-vous-en ! Prenez les bateaux d'échanges de prisonniers »… qui n'existaient même pas !

Mon petit frère, maigrissant à vue d'œil, je croyais à la Providence malgré tout.

Le 14 juillet 1942, l'armée japonaise vint occuper le séminaire pas bien loin et l'on expédiait ailleurs – Dieu sait où? – les Belges (à Moukden?) et les Américains (à Fushun?). Moi, je me suis retrouvé à l'archevêché de Szépingkai, soixante personnes dans un espace pour vingt-cinq et interdiction de communiquer avec un Chinois. Permissions à quémander sans cesse, pour un oui ou un non. Nos religieuses, qui se faisaient des tabliers avec du tissu de vieux matelas, voyaient à nos vêtements (que de reprisages de nos guenilles, à la fin!) et aussi à la nourriture. Bien chiche, tu peux me croire. Nous allions en sandales ou pieds nus le plus souvent. Sombres années. Certains sont morts de «fièvre de Mandchourie», un microbe mortel.

En septembre 1943, des marchands chinois apitoyés réussirent à nous faire parvenir en cachette quelques produits essentiels. Vu notre mauvaise alimentation, ce sera le typhus, des gastrites, des pyohémies et le lit obligé, trente, quarante jours, parfois trois mois! Le lieu devenait un sinistre hôpital pour tous. L'enfer, ce fut l'enfer! Début de février de 1945, enfin, enfin, la Croix-Rouge réussissait à nous faire parvenir de la nourriture en concentré, viandes, sucre, produits lactés. La maladie se calma un peu. Le gouvernement nous accorda $45 par mois, par personne. Mais un œuf se vendait $3, une livre de porc, $20, une livre de sucre, $72! Imagines-tu notre situation?

Cette mort subite de maman… apprise sur un bout de papier déchiré, censuré, oh!… Tu peux pas savoir! Je me suis senti coupable. J'ai pleuré. Et puis jamais un seul mot de vous tous, rien. Quel silence affreux, mon frère! Puis, un jour, nous apprenions la fin de la guerre en Europe!

Le 12 août de cette année-là, il y eut des alertes aux bombes américaines, nous allions nous réfugier dans la cave de l'église. La peur mêlée d'espoir! On a su ensuite que la Russie communiste venait de déclarer la guerre au Japon. Que des régiments russes entiers s'avançaient vers nous. Imagine un peu nos appréhensions! Tu comprendras, n'est-ce pas? On parlait d'un certain chef, Mao, un marxiste qui, hélas, avait rompu avec le chef des nationalistes, Tchang Kaï-chek, dont la tolérance envers les chrétiens était connue. Les envahisseurs divers calculaient, méfiance de tous.

La bonne nouvelle enfin? Oui. Le 15 août, les hostilités cessèrent; grande joie! On a entendu parler d'une bombe américaine terrifiante, atomique. Nous ne savions pas tout. La victoire, donc, et les plus vaillants parmi nous faisaient voler leurs chapeaux troués par-dessus les clochers! Qui sonnèrent, sonnèrent... enfin! La liberté revenait, nous allions pouvoir parler de nouveau avec nos chers Chinois des alentours.

Eh bien c'était ma dernière lettre de Chine, je reviens au pays. Ma soutane étant un torchon, je porterai un uniforme kaki offert par les Américains. On va donc me rapatrier, je serai mis sur un bateau. Je suis trop malade pour continuer l'ouvrage ici. J'ai ordre de rentrer de mon supérieur. Ayez pitié de ceux qui restent ici, qui devront tout réorganiser. Je les plains.

À bientôt,

Ton grand frère bien mal en point qui a hâte de vous serrer dans ses bras, tous

Union de prières plus que jamais,

Ernest

le vieil homme sur son balcon lève les yeux et voit la couleur de mâchefer du lac qui montre qu'il va perdre sa glace il se souvient d'un oncle maigre à faire peur qui surgit un après-midi dans son uniforme kaki trop grand pour lui : il avait serré la main d'un cadavre ambulant rue Saint-Denis, se pouvait-il que ce squelette ait été ce conteur merveilleux qui l'avait fait tant rêver dans sa petite enfance ?

15

parking, escalier extérieur avec ses paliers trop nombreux où il s'essouffle vite, le portier complaisant dans l'entrée et ses salutations amènes habituelles : « Belle journée, non ? »

il n'aurait pas dû venir, il le sait, sa vue se brouille plus souvent qu'avant, il ne se sentait pas bien ce matin, il n'a rien avalé, il est à jeun, il est midi

le vieil homme a peur, c'est justement sa peur qui l'a amené à la piscine, une folie, croire qu'il ne lui arrivera rien de grave ici puisqu'il y a dans les entrailles de l'hôtel toute cette faune de soignantes, tout ce monde en sarrau blanc, il s'imagine qu'advenant un nouveau malaise on saura bien lui porter secours aussitôt, il devient fou

vestiaire, douche, l'osseux bonhomme au sauna, le vieil homme a oublié de poser son cadenas, il le fait, jette la clé dans son sac

l'autre à ses côtés qui se dévêt, côtes sorties : « *Nice day, spring is coming soon…* », et il s'enveloppe soigneusement de serviettes, un suaire, une momie

Vieux Os sort en sueur, fait claquer la porte du sauna, son sourire de jocrisse

la piscine, midi sombre aux fenêtres, pourtant il y avait le soleil tantôt

les hauts sapins s'agitent, ploient en tous sens derrière les fenêtres, pas de vent fort tantôt pourtant un grand lampadaire décoratif en personnage théâtral, sa tête de boule jaunissante, ses deux bras de fer tendus, les ampoules clignotantes, il a une envie de vomir, il respire profondément, ça va passer

une maigre femme se lève, lente démarche, très solennelle, une pythie androgyne qui traîne derrière elle une longue serviette blanche, salie, qu'elle jette sur une chaise, lève la tête, examine très attentivement le plafond de carreaux d'amiante

dehors des fillettes revêtues de toges bleues se collent aux fenêtres, les mains en visière, c'est lui qu'elles regardent, qu'elles pointent du doigt, elles rient, se bousculent comme pour mieux voir

vite, se plonger dans l'eau pour ne plus rien voir, il installe ses bouchons, ne plus entendre

il fait une première longueur mais une grosse voix tonne : « Est-ce que vous n'étiez pas à la messe dimanche ? Je vous reconnais, vous portiez un coupe-vent bleu. »

il retire un bouchon : « Ah non, non, il y a bien longtemps que je n'y vais plus… »

un Voltaire ricanant, mâchoire pointue, la même grimace que celle du célèbre buste, il le pousse du coude : « Ah ! Plus besoin du bon Dieu, c'est ça ? On a eu un si bon papa, c'est ça ? Oui ? Non ? »

il se détourne, le soleil est revenu, il fait très clair

Voltaire se fait aller les jambes dans l'eau du bord

il y songe, a-t-il eu un bon père ? il pense à la bonne grosse main qu'il aimait tant, petit enfant, il y a bien longtemps qu'il n'a pas pensé à ça, les promenades avec son père, le port, sa petite canne à pêche avec des dragons gravés, le Chinatown, le bonheur, les excursions du dimanche, partout, sur la montagne, au centre-ville en tramway, les frites, les glaces, le pop-corn sucré, les visites à l'Oratoire, à la ferme des grands-parents, aux barrages hydroélectriques, encore la pêche et son père lui répétant : « Ça me rappelle, avec mes frères, nos parties de pêche dans le marigot près de chez nous. »

le bonheur

il revoit la très vieille tortue qui le fascinait au grand parc du centre-ville, son minizoo, son unique renard, son unique loup, son unique ours, les odeurs suffocantes qui le faisaient rire, la belle fontaine et ses jeux de couleurs certains dimanches soir d'été, les tours sur l'étang dans une fausse gondole

le bonheur

la fois qu'ils montèrent dans le tramway ouvert peint en or, jouant les riches touristes

Voltaire lui secoue le bras : « Dieu, Dieu le Père, c'est la consolation des orphelins, leur salut, leur bouée, les vrais et les faux, tous les autres, ceux qui comme moi n'ont pas eu un père aimant… Avant tout le monde, Freud avait tout compris, vous le savez, hein ? »

Voltaire replonge, le vieil homme remet son bouchon, admire la vigueur de ce maigre bonhomme, natation frénétique du grimacier

son père, ses deux oncles n'avaient pas eu de père, le grand frère surdoué, l'aîné, avait donc été un père de substitution mais avait fui en Chine, les abandonnant

le vieil homme nage à son tour et il songe, Dieu en orphelinat, son papa ultramontain, bigot, dévot exemplaire, membre du Tiers-Ordre – il se souvient – qui l'avait amené souvent à l'église des franciscains, lui laissé seul dans la nef et son papa au chœur en bure avec silice, chapelet géant, scapulaires voyants, capuchon sur la tête, un moine du dimanche

à une extrémité de la piscine deux gamins se lancent une bouée, flotteur en guise de ballon de foot, le sifflet strident du sauveteur outré, à ses côtés, Vieux Os gigote fermement, les mains bien accrochées au rebord du bain

cris, rires, les gamins s'enlacent et font des remous, coup de sifflet encore

l'allée protégée se libère enfin, l'Ours s'en va, une belle femme rousse debout près de l'échelle l'attend, lui offre une serviette, *sancta mater*, elle lui sourit puis essuyage vigoureux de l'Ours, ils partent bras dessus, bras dessous

leur bonheur

Rachel est morte bêtement un 11 septembre à New York

merde

le vieil homme va vite se jeter dans l'allée libérée, à l'autre bout, une fillette le voyant foncer à grandes brasses soulève le câble et se sauve

vacarme soudain, échos se multipliant, les gamins vont au bain à remous en criant et en courant, sifflet, il songe au bain public de son quartier, les fortes odeurs de Javel, le gras surveillant chauve et ses coups de sifflet à répétition

un baigneur – Vietnamien ? Chinois ? – nage tout lentement, la tête très sortie de l'eau, il doit zigzaguer entre les gens, il crachote sans cesse et ne voit pas la grimace de dégoût d'une digne vieille dame pas loin

douleurs au bras gauche encore : le vieil homme a peur, il sort, va s'asseoir dans un transat, prend un vieux numéro de magazine, envie de vomir, il devrait manger le matin juin 1995, en couverture : *Vie et mort de King Tut,* en bas de page : *Tornadoes saving Chesapeake Bay*

coup d'œil à Voltaire qui patauge à genoux, se dévisse la tête en une gymnastique de derviche tourneur

il ouvre le magazine, reportage sur des fouilles archéologiques au Vietnam – ce qu'il peut s'en ficher ! –, photos, ruines de palais bombardé, poteries antiques, plus rien ne l'intéresse on dirait

article sur Toutankhamon, des momies, il songe aussitôt à la momie du vestiaire, anormale cette lassitude

il a très mal, est-ce que ça va lui passer ?

une gamine s'approche pour voir ce qu'il lit, elle aperçoit un squelette, fait « ouach ! », sa mère vient la chercher, énorme patate avec un visage angélique, radieux

un reportage illustre la pollution au Maryland – il s'en fout –, photos d'échangeurs de béton, rouille dans l'eau d'un rivage, la rivière Patapsco – il s'en balance –, plein de poissons morts, des biologistes, bottes aux pieds qui déclarent… – il s'en fiche – … « estuaire en danger », crie un panneau, il a mal, il a très mal, le vieil homme se sent si las, une envie de pleurer monte, il veut fuir

fuir… où ?

il a encore vu une affiche à un poteau de la rue principale plus tôt : *Perdu : furet domestique. Récompense.* Un numéro de téléphone…

oui, il s'en fera une, une grande affiche : *Perdu : ma vie. Récompense.*

aller pleurer dans la douche ?

il tourne les pages : hyènes, charognards mal-aimés, le Kenya infesté, la Roumanie si pauvre… des tornades – aucun intérêt ! –, il doit se sauver… où ? son père collectionnait tous les numéros de ce *National Geographic,* quelqu'un lui parlait, il sursaute :

« Oui, je vous disais… j'ai habité un temps le condo d'un ami pas loin d'ici, je vous voyais souvent avec votre femme, marche rapide, le tour du lac, vous aviez un grand bâton peinturluré en jaune et rouge, je me trompe pas ?

– Je marchais beaucoup… avant…

– Et toujours en fin d'après-midi, c'est bien ça ? », le vieil homme se lève, veut retourner à l'eau, l'autre le retient : « Moi, j'ai été gardien, oui, gardien de prison, toute ma vie, j'en ai vu, j'étais directeur à la fin, avant ma retraite. »

il lui dit : « Il en faut… »

ce Longs Cheveux à queue-de-rat le suit, « Facile, au fond, y a un truc, le respect, oui, ces hommes avaient besoin de ça surtout, le respect, et ça, j'en avais »

les gens âgés ont un grand besoin de parler, se dit le vieil homme, lui, il avait besoin d'écouter surtout, il aimait écouter, cela faisait partie de son métier, au fond, questionner, faire parler, mais c'est fini

il a mal au cœur, très mal, Longs Cheveux : « Et vous, vous faisiez quoi au juste ? », il hésite à lui répondre, puis, froidement, lui jette en s'éloignant : « Je ne fais plus rien, il est trop tard… »

l'ex-gardien secoue sa tignasse, déplace d'un geste vif sa queue-de-rat : « Ma femme et moi, on a gagné un séjour ici, soins compris, un concours facile par la radio, on repart demain. »

il le fuit, il plonge sous l'eau

une adolescente obèse hésite, timide, elle vérifie partout si on la voit, une jeune blonde échevelée surgit, la pousse à l'eau, s'y jette à son tour, émerge, sourit, se lave la face d'une main leste

deux sœurs ? elles nagent comme des chiots maladroits

un ado nerveux surgit et, splash ! plonge, aussitôt sifflet... la monitrice lui montre d'un index rageur le tableau des règlements au mur numéro 1 : *Défense de plonger* !

du Tchekhov soudain : trois longues filles maigres s'amènent, si pâles, robes de chambre sur les bras, maillots de satin noir, le philosophe au bon Dieu le Père marche vers elles, conciliabule et tous aux remous

s'en aller, fuir

vestiaire, douche, aux lavabos un beau jeune homme penché

il sort une poudrette, y va par petits coups, vérifie sans cesse au miroir, cherche le bon éclairage, un autre Narcisse coquet, paraître bronzé, maquillage de mise

si l'été peut venir, cher Narcisse

Bouddha est tapi sous la triste lueur du sauna, il sue, il rougit, homard engraissé

il n'a toujours pas faim, il a peur, ne plus jamais manger, monter à sa chambre, se laisser crever

Perdu : ma vie. Récompense.

dehors, le soleil au zénith, sa vue se brouille encore, ne pas tomber, marcher lentement, il se tient à la rampe de l'escalier en paliers

va-t-il pouvoir conduire ou devra-t-il rentrer à pied ?

bof, dix minutes de marche

sa peur

il doit résister, sa vue baisse, ombre alentour, s'il fallait que... il entend mal, de plus en plus, mais ne plus voir, ce serait vraiment la fin de sa vie : il aime tant lire

ce voile gris devant ses yeux, de plus en plus souvent

c'est pour quand la fin, la vraie fin ? Dieu le Père seul le sait

s'acheter une poudrette, se maquiller à fond, le teint sacré du roi d'Égypte de ce magazine, passer pour un Peau-Rouge et marcher autour du lac, dans les collines, avec son bâton peinturluré en jaune et rouge

comme du temps qu'elle vivait

Perdu : ma vie. Récompense.

mais il sait bien qu'elle restera à jamais… introuvable

16

revenu de la piscine, le vieil homme a pu manger un peu enfin, il était temps, il se sent mieux

cette école de cuisine, à quatre coins de rue, lui est fort utile, essentielle même, il n'a jamais su bien cuisiner, il y a trouvé des pâtes, son mets favori, puis il a bu une bière et s'est fait du café

il se sent moins faible, un peu plus léger, il a tenté de lire un journal, difficile – ce voile gris et ces petits points noirs qui dansent autour des lignes –, sa peur encore, alors, café fumant en main, il sort sur la longue galerie, la glace va descendre au fond du lac, ça ne sera plus très long, ce champ glacé a pris une teinte de diamant, vaste scintillement sous le soleil

mais ne plus pouvoir lire un jour, la détresse anticipée

il repense à cette narration de son oncle quand il va prendre le bateau du retour, il revoit son arrivée rue Saint-Denis, son grand corps amaigri vêtu de kaki, son si lourd, si grave visage de « revenant du monde des morts », il revoit sa mère qui éclate en larmes sur le balcon, les bras ouverts, immobile face à son beau-frère tout décharné, son père qui bafouille, cherchant nerveusement ses mots en apercevant ce spectre, son grand frère méconnaissable

un jour, il y a quelques semaines, en voiture, le vieil homme a eu l'envie d'un petit pèlerinage : revoir la vieille et vaste maison de pierres où fut soigné l'oncle rapatrié

le soleil brillait partout

passé le pont Viau, il avait ralenti, la rivière des Prairies lui avait paru, comme toujours, un bien joli cours d'eau, riant, comme joyeux en effet, avec ses rives aux nombreux arbres matures, le si beau boisé avait rapetissé, encore si sauvage quand le collégien y venait

là où il y avait une imposante grotte à la Vierge se dressaient maintenant de modernes blocs-appartements, la communauté avait eu besoin de fric sans doute, dans cette presqu'île des missionnaires, les vieux bâtiments silencieux évoquaient un temps fini, à jamais révolu

une fois le mois, il aimait bien revoir l'oncle revenu, celui que les siens disaient être « un génie », l'oncle savant mis au repos, sans charge aucune, sans ministère

il lui avait offert un pantographe de sa confection : « Tu pourras agrandir comme tu veux les petites gravures du dictionnaire, tes images, tes coupures de magazine », sur le petit balcon de sa chambrette, il lui présentait – « mes meilleurs amis » – des écureuils très noirs qu'il disait avoir réussi à apprivoiser complètement : « Ils grimpent vers moi au moindre de mes appels, ça vient de Belgique, ça, ces petits noirauds, ils sont très intelligents... »

il le regardait nourrir ses petits rongeurs et le percevait comme un nouveau saint François d'Assise, rien de moins

l'oncle tout « désossé » lui avait révélé qu'il travaillait tous les jours à « sa » traduction du grec ancien de tous les textes de l'apôtre Paul : « Tu verras ça, on va jaser en grande quand ce sera publié, mais quoi, on a triché, et considérablement, on a trop inséré d'influences de ce temps-là, je corrige radicalement, je rends saint Paul à saint Paul, j'en ai pour des années. »

lui qui, au collège, piochait en suant sur ses simples devoirs de grec, il était épaté par le « génie de la famille »

le vieil homme croisa bien peu de pensionnaires dans l'établissement

tout autour, le calme total, oui, un monde s'était écroulé par ici

il entra

plus de buraliste au bureau de l'entrée, personne, une musique d'orgue lointaine parvenait d'il ne savait trop où, dans un couloir aux murs couverts de grandes photos de groupes, le vieil homme avait rencontré un maigre type à fort accent espagnol

présentations

l'homme très barbu, sans cou, aux épaules très voûtées, se disait « un réfugié » venu du Guatemala, le vieil homme lui parla tout de suite de son oncle tant admiré

« Ah mais j'en ai beaucoup entendu parler et dès mon arrivée ici, un traducteur émérite votre parent, saviez-vous que les communistes de Mao lui ont volé son fameux dictionnaire qui romanisait la langue, là-bas en Chine ? Les communistes maoïstes se sont vantés de son travail inouï, se le sont approprié, s'en prétendant les auteurs, une grave fumisterie. »

le barbu lui dit qu'il s'occupait souvent aux archives où il y avait des chemises de documents variés sur son oncle, il voulut lui montrer de ces papiers : « Ce sera une surprise, un an avant sa mort en 1987, votre papa était venu nous confier une liasse de lettres de son grand frère. »

sa joie ! quoi, ces lettres ? ces lettres qui le firent tant rêver heureux, le vieil homme se fit faire des copies, ensuite le petit bossu lui confia d'anciennes diapositives de vitre où l'on voyait Ernest en facteur d'orgues, des photos aussi, quelques bouts de film 16 mm : « C'est un prêt, n'oubliez pas de me rapporter tout ça un de ces jours… »

revenu au village, le vieil homme, excité, en avait pris une au hasard :

Szépingkai,
Chine du nord, Mandchourie
Mon cher petit frère bien-aimé,

Cette fois, je vous ai mis une photo du cher barbier Pao. Voyez comme il est un terrible zélé de son art. Mis aussi une photo de vingt-cinq jeunes Chinois aspirants au sacerdoce, notre fierté. La photo a été prise à notre préfecture de Lintong, pas loin. Étonnante pépinière, non ? Autre photo avec des petits écoliers d'ici. Enfin une photo montrant une yourte. Il s'agit d'une habitation, sorte de tente ronde comme vous voyez, qui sert d'abri aux nomades de la Mongolie voisine. Ça surprend, non ? Tout ce monde qui porte un chapeau, tous, toujours !

Je viens de vivre un épisode de vie grave. On décorait le chœur de notre chapelle avec des fleurs de papier géantes, des rouges, des vertes, puisque Noël approche, lorsqu'on est venu me chercher en grande hâte. Grand brouhaha dans la cour, on y amène, couchée sur une civière improvisée, une jeune fille, 19 ans. « Qui va mourir », me dit un cocher. C'est la bien jolie Wey Lan, je la reconnais, elle avait fréquenté notre église, plus jeune.

On me parle d'abord d'un empoisonnement puis, carrément, on me parle d'un suicide. Jadis, en Chine, on allait parfois mourir chez l'adversaire, l'ennemi, visant ainsi une sorte de vengeance.

La belle Wey Lan amenée ici, et pourquoi donc ? Quoi, le déshonneur s'annonçait-il pour nous tous, et pour quelle raison ? Tout le monde, affolé, parlait en même temps dans notre cour mais je finis par comprendre qu'on la jugeait comme « outragée ». Je la fais conduire de toute urgence à notre infirmerie.

« Non, non, cette folle ne doit pas mourir ici », me dit un de nos ouvriers ; j'ai prié : « Mon Dieu, j'ai tout quitté, tous ceux que j'aime, pour vous servir, aidez-moi. » Par ici, les nouvelles, les mauvaises surtout, circulent très vite... pour nous nuire parfois, alors, si Wey Lan meurt, on va répandre qu'il y a eu empoisonnement à cause de nous.

Mon petit frère, tu peux imaginer mon énervement. La foi catholique est fragile à l'extrême en Chine. Nous avons de farouches opposants. Voici que s'amène dans la cour la mère de la jeune Wey Lan, bouche tordue, mains tremblantes, elle s'accroche à moi : « Il faut absolument la sauver de la mort, je vous en prie, je vous en supplie ! » Je ne savais trop quoi lui dire. Elle a fait trois heures de route, me dit-elle, elle a échappé à de nombreux brigands. Elle a un poney, un pur-sang mongol, « qui court comme le vent », me dit-elle à travers ses sanglots. Un jardinier vient me confier que Wey Lan est toujours vivante en ce moment mais reste inconsciente. La mère l'a entendu et éclate en sanglots, elle étouffe.

Kao, ce jardinier, m'entraîne à part pour me montrer une sorte de carnet, de journal intime, qui est celui de l'agonisante. Nous tentons de déchiffrer son écriture, petite, toute tassée : un jour qu'elle se rendait en train chez des parents lointains en Chine du Sud, un bel officier lui céda son siège, un homme avec de très belles manières, mieux qu'aimable, poli, avenant, elle en fut charmée. Ce sera le début de cette affaire de cœur. Séduite, Wey Lan oubliera qu'elle est chinoise, que ses parents doivent un jour lui dénicher un bon parti. Voilà qu'elle répondit aux lettres enflammées du bel officier et une longue correspondance s'ensuivit.

C'est ce qu'elle avait inscrit dans son calepin. C'est très compromettant de telles lettres dans ce pays, mon petit frère. Une de ses sœurs découvrit ces échanges amoureux et elle enquêta sur ce Roméo chinois. Catastrophe, cet officier est marié! La sœur s'empresse de dénoncer le scandale. C'est la honte. Désespérée, Wey Lan avale un poison inconnu et la voici donc tombée dans une sorte de coma. Elle avait dit vouloir absolument être conduite au milieu de nous puisqu'elle avait été baptisée et éduquée chez nous.

J'aperçois sœur Barbara, sorte de « médecin malgré elle ». Elle nous rassure quelque peu : le poison avalé, nous apprend-elle, le fut dans une quantité négligeable et il se peut que Wey Lan s'en sorte vivante. Nous nous calmons un peu. Je me rends auprès de la moribonde. Elle a un tout petit peu de vitalité, me voit arriver, se soulève de son k'ang, roule des yeux à faire peur, gémit, me serre un avant-bras : « Je l'aime! Je l'aime tant! Je ne pourrai jamais l'oublier. » Sœur Barbara lui montre le carnet puis la liasse de lettres d'amour et lui dit : « Nous allons les brûler, oui? Au feu tous ces mots, oui? » La belle se tord, fait de véhéments signes négatifs de tout son corps. Je prie pour elle à haute voix mais la belle Wey Lan m'interrompt : « Si vous saviez comme je souffre, je veux en finir avec la vie, mourir, personne ne peut me comprendre, on n'a pas le droit d'aimer qui on veut dans ce pays. » Je tente du mieux que je peux de la consoler, de l'apaiser, mais elle se redresse vivement : « Ma réputation est perdue, je le sais bien, je serai chassée, vaut mieux en finir. » Les lettres brûlent dans la cheminée de notre clinique et elle se lamente de plus belle : « Où, où donc vais-je pouvoir aller vivre maintenant ? » La mère s'amène dans l'infirmerie, rassure et conseille sa grande fille, la fait se lever et la conduit doucement en la soutenant dans la cour. Une calèche les attend attelée à deux petits chevaux.

Voyant ma grande nervosité, notre jardinier-cultivateur me dit : « Un rien vous détraque, on dirait, vous autres étrangers, il en arrive de ces histoires et sans cesse, vous n'en savez rien car nous les Chinois sommes très discrets. Vous verrez, tout rentrera dans l'ordre maintenant, calmez-vous donc. » Il ricanait. J'ai vieilli cette semaine d'un grand coup sec. Les flancs encore fumants, les chevaux sont partis au grand galop, emportant la jolie Wey Lan, fille honteuse, et sa mère accablée, humiliée devant tous. Je devais vite préparer le sermon de Noël pour notre messe de minuit, aussi lire les journaux et lettres du pays, répondre à du courrier en retard, ouf ! Mal calmé, pour me détendre je suis retourné à nos jeunes autour de l'autel pour aider à la décoration fleurie. Ma main tremblait encore.

À vous tous, j'offre mes bons vœux, j'ai la nostalgie de nos neiges du temps des Fêtes, pensez un peu à moi… si mal pris soudainement dans une histoire sentimentale qui me dépassait pas mal.

Ton grand frère, Ernest

Post-scriptum : Ton petit gars va-t-il, avec ses craies de cire, me dessiner une yourte bien ronde avec des petits Mongoliens à chapeaux autour ? Je le souhaite.

le soleil se jette derrière le mont Loup-Garou, le vieil homme fouille dans la boîte à souliers, il voudrait bien retrouver une trace de ces deux histoires mystifiantes racontées par son père après la mort prématurée du cher grand frère exilé

son père, l'archi-pieux, avait-il inventé ces récits?

l'un affirmait qu'un bon jour l'oncle lisait tranquillement son bréviaire et, soudain, dans une branche d'un arbre bien haut, il a aperçu un lapin d'une blancheur immaculée... qui lui souriait!

son père continuait:

« Mon frère, voyant ce lapin, bête qui ne grimpe pas aux arbres et, bien plus, qui n'existait pas dans ce coin de Chine, n'en fit aucun cas et continua à marcher, à réciter son bréviaire, il devinait l'action du malin, une tentative de le distraire de ses prières obligatoires. »

l'autre récit était encore plus étonnant:

« Une fois mon frère fut appelé d'urgence pour aller visiter une vieille chinoise que l'on disait possédée du démon. Mon frère s'y rend avec le nécessaire de l'exorciste et, entrant dans la cabane, la vieille, qui se trémoussait sur son k'ang, l'apostrophe en sacrant, oui, en jurant en français d'une voix rauque, les yeux sortis de la tête, un charretier, on aurait dit un de nos bûcherons pris de boisson, racontait mon grand frère. Imaginez sa grande surprise, sa stupéfaction, vivre au fond de la Chine et entendre ce chapelet de blasphèmes dans cette bouche édentée où coulait l'écume de Satan? Aussitôt, mon frère brandit son crucifix et il l'arrose d'eau bénite en récitant les prières nécessaires, voilà que la vieille Chinoise se calme tout net, se relève, veut lui faire du thé pour s'excuser du dérangement. »

le soleil va disparaître, le vieil homme sourit encore, il a la certitude qu'il ne trouvera aucune trace de ces récits, inventions d'un père captivé par une religion à thaumaturgie, grand lecteur des fameuses stigmatisées Thérèse Neumann ou Catherine Emmerich

il se souvient d'avoir souvent, pour surprendre, raconté ces bizarreries à ses camarades du collège, les uns rigolaient mais d'autres restaient songeurs

17

à l'horloge du quai, pas tout à fait midi, une heure et demie à guetter le poisson, à surveiller les jeux de la houle du fleuve au port

ça ne mordra donc jamais, l'enfant ajuste sa petite casquette rouge à palette, un vent fort sévit, c'est un beau lundi de mai tout ensoleillé, il se dit que son chapeau d'explorateur l'aurait mieux protégé

avant de remonter la rue de La Gauchetière, le père lui a accroché un leurre chinois neuf, luisant, très coloré

l'enfant se questionne : un poisson d'ici acceptera-t-il de mordre à un tel objet *made in China* ?

des débardeurs s'agitent au quai voisin du sien, au large un géant sous-marin vogue, est-ce un requin, une baleine, un phoque énorme, quoi donc ? la chose sombre s'approche du rivage, fonce vers lui, il retire aussitôt sa ligne du fleuve, s'il fallait que ce monstre marin lui arrache tout, ce leurre chinois dont il se méfiait, oh ! un jeune matelot a sauté dans une barque

il y a des rires et des cris d'encouragement qui fusent, l'intrépide rameur déploie une énergie totale, vigoureux dans sa chaloupe aux flancs en arrondi, rame vers quoi ? vers un épaulard ? se questionne le gamin, tel celui vu hier dans un *National Geographic* ?

son père va-t-il le croire quand il va lui raconter tout ça ?

le monstre s'éloigne, il a plongé, plus rien à voir sur le fleuve, déception des curieux, l'enfant songe tristement à sa mère qui, hier, disait à une voisine : « Mon mari va le faire entrer à l'école en septembre qui vient, mais oui, dès septembre, mon garçon sait déjà lire et écrire, vous savez, mon homme lui a enseigné et très bien, vous seriez épatée. »

sa grande frousse de cette école, ce sera la fin de ses excursions au port à jamais

le matelot aperçoit de nouveau la bête, il tente de lui jeter un grand filet, en vain, il se reprend, rame, se reprend, les badauds du port applaudissent bruyamment, est-ce pour l'encourager ou le ridiculiser ? à chacun de ses essais, des clameurs, des efforts vains et il semble épuisé, se couche dans sa barque, des rires éclatent

trois gaillards viennent de sauter dans un doris

ils ont de hautes gaffes de métal très brillantes au soleil, les cris fusent de nouveau

la joie brouillonne des loustics sur les quais, le monstre tourne en rond maintenant, le trio de héros le cerne, le tient en joue, on lance les gaffes comme si c'était des lances mortelles

ce dauphin – ou quoi que ce soit –, l'enfant souhaite maintenant qu'il puisse s'échapper, pauvre bête traquée, il est de son côté, l'enfant est debout, il a pris parti contre ces chasseurs improvisés, la proie est trop facile, songe-t-il

il jette à l'eau le bouquet de lilas offert plus tôt par une voisine, une fillette dans le tram a pleuré ce matin : « Môman, j'veux les belles fleu' de lui là-bas ! »

cela l'a fait rire

maintenant le poisson géant, une gaffe plantée dans le dos, ployante, a réussi tout de même à s'éloigner très vite, et l'enfant l'applaudit : il a droit à la paix, à sa vie, pense le gamin

la bête file vers la grande île d'en face, qu'on lui fiche la paix

on se disperse, les matelots déçus reviennent, le gamin a remis sa ligne à l'eau, il joue avec son moulinet à dragons chinois, s'approche alors de lui le barbu de l'autre lundi, cet homme aux propos compliqués

le voilà qui fait d'étranges gestes, ouvre et referme son long manteau rapiécé, ajuste son chapeau fripé, grimpe sur un haut tas de caisses, pirouettes étonnantes, un homme de cirque peut-être, pense-t-il, ou un clown à la retraite, un vieux bouffon comme ceux qui l'ont fait tant rigoler un samedi dans la cour de l'orphelinat voisin rue Christophe-Colomb ? s'il revient lui parler de « la vie qui vaut rien », l'enfant fera le sourd, se dit-il, il fera celui qui parle une langue étrangère, qui ne le comprend pas

le gamin y croit à la vie, à son avenir, il tient à son idée de voyager un jour, de voir des pays lointains, de visiter le monde entier, il l'aura même, son aéroplane bien à lui

l'enfant a ouvert une boîte de Cracker Jack sucrés, un goéland vient aussitôt se poser pas loin, pousse des petits cris d'affamé comme toujours, l'enfant, avec des gestes vifs, fait mine de lui jeter de son maïs soufflé pour rire, l'oiseau tourne en rond, ça le fait sourire, il regarde autour, plus personne, en se penchant sur l'onde il aperçoit un banc de petits poissons, il y a un chef on dirait, ils le suivent, ils viennent nager tout près de son leurre étincelant, n'y trouvent aucun intérêt, se sauvent trop petits ces poissons, qu'ils s'en aillent

se retournant pour vérifier si son père revient, il voit un jeune gaillard vêtu d'un large blouson noir, foulard blanc au cou, le gars ose renverser une boîte aux lettres, il rôde autour de la remise aux tôles rouillées, revient vite vers la boîte rouge, un voleur?

l'homme au foulard blanc secoue la boîte renversée et de grandes enveloppes jaunes en tombent, aussi des tas de lettres

le vandale les ramasse, les fourre dans son blouson dont il tire la fermeture éclair, il redresse la boîte, regarde partout autour de lui, voit le petit pêcheur, marche vers l'enfant, le gamin a peur, se détourne, active son moulinet, le bandit crache en l'air plusieurs fois, l'enfant serre les genoux, serre sa canne de bambou, le voyou est dans son dos, crache encore, et encore, jure entre ses dents, grogne, grommelle de sourdes imprécations

le gamin fait l'aveugle, le sourd

coup d'œil au quai de l'horloge, il est très passé midi, si son père pouvait surgir: « T'as rien vu, tit-gars, bien compris? Rien! »

le gamin fait de timides signes de tête affirmatifs

« Si tu parles, tit-cul, je te retrouverai et tu iras rejoindre les poissons au fond de l'eau, ben clair de même? »

il ne bouge pas d'un poil, ne dit rien, il voudrait se voir loin

le jeune malfrat s'éloigne, le blouson gonflé, crachats bruyants encore, il siffle un air inconnu du gamin

ce type mystérieux qui lui apparaît parfois, celui au coupe-vent bleu acier, a encore surgi pas bien loin, il lui sourit comme pour le rassurer il respire un peu mieux, regarde au large, l'horloge, le coupe-vent bleu a disparu, il est en sueur, il dira à son père qu'il ne veut plus pêcher seul ici, qu'il préférerait magasiner avec lui chez ses Chinois

il se souvient de sa grand-mère ce matin sur son balcon qui a crié à son père : « Tu devrais pas le laisser seul au port, il est trop petit encore, n'importe quoi pourrait lui arriver, un enlèvement même... »

son père avait ri : « Voyons, sa mère, c'est plus un bébé, c'est un petit débrouillard qui a peur de rien, tu le connais pas. »

et il lui avait donné sa bonne grande main chaude, avait dit : « Les femmes, mon gars, les femmes, c'est peureux sans bon sens, à les écouter, on entreprendrait jamais rien... »

le gamin a remarqué qu'en effet ses deux grandes sœurs, qui vont pourtant à l'école, sont archi-prudentes, qu'elles ont peur de tout, même de leur ombre, grimpent sur les chaises pour une petite souris, que sa petite sœur, Marielle, a peur des fourmis dans la cour, même des vers de terre qu'il trouve avec sa petite pelle, vrai qu'elle n'a que quatre ans

sa grand-mère avait dit aussi à son père : « N'oublie pas, mon garçon, d'aller collecter mes loyers en revenant de ton Chinatown, t'es en retard encore pour la rue Jules-Verne, pour ceux de la rue Molière aussi. »

l'enfant trouve toujours bizarre d'entendre ses « mon garçon » adressés à un adulte fait, son père

il prend conscience chaque fois que son père a été « un petit garçon », le « petit gars » de sa mère jadis

papa a donc été un gamin comme lui un jour

quand la grand-mère malade demande à sa mère de lui faire des commissions, il entend chaque fois : « Chère belle-mère, comme si j'en avais pas plein les bras avec mes cinq enfants, dont un bébé. »

la vieille femme n'avait plus guère de santé, ne sortait plus de son logis d'en haut, comptait sur tout le monde, même sur des voisines complaisantes... « une parasite », avait grogné un voisin, ce mot, « parasite », lui avait fait ouvrir le *Petit Larousse* des grandes sœurs

midi et demi au quai de l'horloge

il sait que lui et son père devront se rendre au grand magasin d'objets de piété rue Notre-Dame, « Desmarais & Robitaille », pour un chapelet

« En pierres du Rhin, a spécifié Mémeille, aussi pour la toute nouvelle médaille à la bonne sainte Anne, j'ai lu l'annonce dans *Le Devoir*, ça vient d'arriver d'Europe. »

souvent le gamin doit aller lui acheter du raisin, « du vert » exige-t-elle, chez Di Blasio, fruitier de la rue Dante, derrière chez lui

pas grave de devoir faire ses courses car « sa » Mémeille lui prépare de si belles étrennes chaque année

comme il avait appris à lire maintenant, elle lui a offert au jour de l'An un grand livre très illustré des contes de Charles Perrault, il aurait préféré des patins à glace

son père finira-t-il par se montrer ?

un immense cargo peint en rouge et noir va accoster pas loin

silhouettes agitées sur le pont, des matelots vont et viennent à sa poupe

enfin, le père s'amène, il lui fait voir un sac rempli de parasols décorés et de gratte-dos, petites mains sculptées au bout de longs manches de faux ivoire, son père en sort une, lui enlève sa casquette, lui gratte la tête, ils rient

«J'ai eu tout ça pour pas cher, ça va se vendre facilement, à si bon marché.»

rue Notre-Dame, l'enfant est épaté par les vitrines remplies de statuettes pieuses, de missels aux tranches vertes, bleues, dorées

le magasin déborde de médailles de tous les formats

une fois hors de la boutique, l'enfant ose parler à son père du lascar à la boîte aux lettres et de ses menaces

«Je pense que maman a raison, tu resteras avec moi à l'avenir.»

le garçon proteste, boude, il aime tant pêcher, il a envie de chialer, «On ira pêcher ensemble le dimanche au bord de la rivière des Prairies, tu vas voir, mon gars, je connais les bons spots. Enfants, on y allait, mon grand frère et moi, c'est proche du pont du chemin de fer.»

sortis de leur tram, il voit la grand-mère qui se lève de sa chaise à bascule

son père monte vite à l'étage pour lui porter chapelet et médaille, lui montre les gratte-dos

redescendu, il fait voir son stock chinois à sa femme, il démontre la facilité à ouvrir et refermer ses parasols de papier vernis

la grand-mère se penche sur une rampe: «Mon garçon, t'oublies pas mes loyers en retard, j'espère.»

puis elle dit au gamin: «Tu veux bien aller chez Colliza au coin pour mes bottines, le cordonnier a téléphoné, elles sont prêtes.»

elle lui parachute de son balcon un billet d'un dollar

l'enfant tend les mains, un papillon

un autre papillon, un vrai, surgit, d'un bel orangé, il volette autour du dollar, l'enfant rit, puis la bestiole file vers les lilas du voisin

« Tu garderas la monnaie, mon p'tit pape. »

il remercie, part en courant

« Ne cours pas, tu vas te casser une patte ! »

encore sa mère, l'énervée, la peureuse, il ne court plus

sa peur du monstre marin, sa peur du voleur, c'est loin

le cordonnier italien lui donnera une friandise, c'est sûr

il entend encore : « N'oublie pas mes loyers en retard, mon garçon. »

l'enfant répète en riant : « Mon garçon ! »

18

cette piscine est située entre deux salles aux appareils divers dont une salle aux murs aveugles pour le squash, autour, un palier plus haut, des petits salons pour soins de santé, à la mode du temps, pancartes aux portes marquées : *Silence*

obligé de traverser cette zone, le vieil homme y voit chaque fois des vitrines en fausses fenêtres éclairées, pots de crème, formats variés, potions sanitaires, fioles de graisses mystérieuses pour lui

rajeunir…

ici de jolis bouquets, là des plantes médicinales, fleurs séchées, plantes exotiques à broyer, poudres à diluer dans de l'eau chaude, naturisme en vogue

rajeunir, oui

garder la santé

il sait qu'il est trop tard pour lui

faire durer la vie

trop tard

un combat pathétique, cette angoisse de trop vite vieillir, la mise en programmes savants pour la sauvegarde des existences

il regarde parfois, qui circulent en vitesse, de vieilles dames en blanches robes de chambre, épaisse ratine, éponges chéries, elles vont d'un pas décidé, calculé, l'air absent, d'un lieu à l'autre, parfois guidées par de jeunes soignantes accortes, silhouettes fantomatiques aux mines ravagées

l'anxiété commune utile à une industrie bien organisée? Jean de La Fontaine en ferait bien des fables, c'est certain

endiguer l'âge, un commerce florissant et sophistiqué

peu d'hommes, très peu: quoi, la peur de la fin moins ravageuse chez eux, ou bien, tous fatalistes?

plus bas, de grands jeunes mâles en camisoles adéquates qui pédalent, qui lèvent des poids, qui suent, qui marchent à faux, tous ces tapis roulants avec cadrans indicateurs en tous genres, faux vélos immobiles, empêcher la musculature de s'affaisser à tout prix

il entre dans l'eau, au milieu du bain un long bonhomme bien rond fait la planche, des nageurs doivent le contourner, noyé importun, toléré

le vieil homme a gardé en mémoire l'effrayante image de son « premier » noyé

il allait avoir six ans, son père, un petit marchand de chinoiseries, installait son gamin certains lundis à un des quais du port afin qu'il puisse pêcher

sa joie à l'enfant!

le père allait payer ses taxes municipales et marchander à quatre ou cinq rues au nord du port

un Chinatown de quelques pâtés de vieilles maisons

un bon matin, dans l'eau du fleuve, une masse obscure dérivait, il avait cru d'abord à un esturgeon crevé, mort

le cadavre dérivait vers le petit pêcheur

sa frousse quand il découvrit que c'était un corps humain

le cadavre était vêtu de bleu, avait la peau du visage toute ratatinée, bleuie aussi

il avait crié sur le coup, il n'y avait personne autour ce lundi-là, il avait couru vers la taverne de la rue des Commissaires et, une fois entré, des buveurs avaient aussitôt protesté : « Eille ! Wow ! Pas d'enfant ici, c'est interdit, dehors ! »

un serveur au tablier de cuir noir fonçait sur lui, « Mon petit bonhomme, tu peux pas entrer icitte. »

il tremblait : « Il y a un noyé qui flotte dans le fleuve, venez voir si vous me croyez pas. »

des clients sortirent avec le serveur, l'enfant les guidait en courant, cœur battant, il vit un *taximan* qui criait dans le téléphone du poteau : « Venez vite, un noyé, que je vous dis, venez vite ! »

les hommes cherchaient des gaffes

le gamin regardait mais il détestait ce qu'il voyait, il n'avait jamais vu un mort, jamais

le cadavre gonflé cognait contre le mur de ciment et tenait une sorte de crochet dans ses mains

« C'est un débardeur ! » cria le serveur

« Je le reconnais, c'est Fred, un ivrogne », s'exclama un client de la taverne

deux hommes tentaient de retenir le flotteur bleui contre le mur avec des pièces de bois, on aurait dit un vieux ballon dégonflé, tout flasque

l'enfant n'arrivait pas à détacher son regard, il avait des herbages autour des oreilles, dans le cou, dans la bouche aussi

il était presque midi à l'horloge, son père allait donc surgir le gamin voulait qu'il voie ça, sinon il lui en ferait le récit et son père lui répondrait encore : « Toi et ton imagination, tu as rêvé ça ! »

une barque s'amena, ses rameurs peinèrent en tentant de remonter ce gros ballot sinistre dans leur chaloupe

le faux noyé du milieu de la piscine finit par remuer, par se remettre sur le ventre, il patauge mollement vers l'échelle, sort, trottine vers le bain à remous

dans l'allée réservée, un tout jeune homme file à grande vitesse, un professionnel de la natation

« un type olympique », se dit le vieil homme, c'était quand… il avait été jeune lui aussi

mais quand ?

aujourd'hui, il y avait tant de baigneurs qu'il devait nager avec prudence

il nageait par devoir, par « ordonnance »

il y avait eu le rapport fatal, les menaces voilées du toubib

il s'était abonné en fin d'automne

il avait fini par aimer cette routine, lui qui toute sa vie avait tant détesté les routines

un gamin roux décroche une bouée, sifflet du moniteur, le rouquin quitte la piscine avec une moue évidente

son vieux barbier, retraité comme lui, apparaît en maillot mauve, lui fait signe d'approcher : « Avez-vous su la nouvelle ? Notre relieur bénévole de la bibliothèque, ben il s'est tué, dimanche matin ! »

invraisemblable, pense le vieil homme, un type si rieur, si léger

le secret des êtres

« Avez-vous su pour l'autre nouvelle ? Il vous faudra acheter vos gazettes ailleurs, le magasin du coin ferme aujourd'hui même, un coup de tête. »

ce barbier avait été son divertissant pourvoyeur de nouvelles, potins, échos du village

dans l'eau avec lui, il continue : « Feriez bien de faire des provisions, ça parle d'une grève à notre école hôtelière, saviez-vous la nouvelle ? »

comme s'il repoussait des choses invisibles, le barbier remue vigoureusement l'eau autour de lui

il s'éloigne un peu, revient aussitôt : « C'est pas tout, va y avoir ici de gros travaux de rénovation en fin de mois, ce sera fermé pour des semaines. »

le vieil homme s'enfonce sous l'eau, émerge loin, là où deux enfants trépigneurs se grimpent dessus en riant, acrobaties aquatiques furieuses

il voit, naviguant sous l'eau en zigzaguant, un type obèse habillé d'un *wet suit*, curieux sous-marin qui le fait se souvenir encore du gros noyé du port

l'obus caoutchouté vérifie les grilles du fond de l'eau avec un outil bizarre

son barbier babillard s'approche encore : « Vous voyez, ce que je vous disais, les réparations, c'est parti... »

il sort de la piscine, l'hôtel fermé où ira-t-il nager ? vestiaire, ouvrir sa serviette, marcher vers les douches, au sauna, Squelette, le souffle court, la tête appuyée au mur, les yeux fermés, celui qui tient la vie pour « une farce plate » ouvre, fumée de vapeurs qui sort, lui sourit puis grogne : « Vous arrivez ou vous partez ? », le vieil homme se sauve : « Je pars. »

son Gandhi en maillot le suit : « Quoi que vous disiez, quoi que vous fassiez, sachez-le bien, le Père-Dieu est essentiel aux orphelins ! »

le vieil homme ne dit rien, ouvre son rideau de douche

au retour, Squelette tripote le cadenas de sa case, n'arrive pas à l'ouvrir, et le vieil homme l'aide

sans savoir pourquoi, il a eu une envie de pleurer, il s'ennuyait de son père, aurait souhaité le revoir, juste quelques minutes, un sursis, une permission extraordinaire, un miracle, l'occasion de lui parler, un tout petit peu, formuler des regrets, se faire pardonner une sorte d'abandon, du temps qu'il était populaire, qu'on l'invitait sans cesse, radio, télé, articles commandés, causeries variées

vains regrets

folle envie de pleurer, vaine envie d'aller se cacher, une certaine honte, par exemple, celle de ne l'avoir jamais amené ici au chalet, au village

il marche très vite dans les couloirs, craindre même ces visages masqués, ce petit défilé de dames en sarraus blancs, fuir les affichettes où l'on illustre, en couleurs, les parties faibles du corps humain

fuir la vie

fuir des poissons improbables dans un faux hublot sous l'horloge de la baignoire

envie de fuir le village bien-aimé, mais pour aller où ? à cette agence de voyages, rue principale, et louer des places d'avion, aller à la chaleur, au soleil des Caraïbes, n'importe où

il se dit qu'il devrait aller consulter pour sa vue qui se brouille trop souvent, et il y a aussi son ouïe

hier, avec Rolande au cinéma du bas de la côte, ne pas lui avoir avoué que, malgré ses prothèses aux oreilles, il n'a pas pu capter la moitié du dialogue de ce film, *La tourneuse de pages*

devenir d'abord sourd ou bien aveugle ? dans quel ordre viendra cette autre déchéance ?

ne plus pouvoir lire lui serait fatal, cela il le sait bien, mais ne plus rien entendre… bof!

en roulant lentement entre trous et bosses du chemin de l'Hôtel Le Chantecler, il a hâte de parachever cette vie de Jules Vallès, jeune enfant battu, pauvre idéaliste qui voulut révolutionner son monde

au carrefour de la route rurale, juste en face de chez la fleuriste, il croit apercevoir Théo, l'ex-maire, l'ancien quincaillier avec qui il aimait bien bavarder, un sosie puisqu'il est mort, pourtant la même canne de buis luisant… c'est sans doute un pensionnaire d'un des deux refuges du Sommet bleu

sur un poteau il peut lire en caractères gras au feutre marine : *Perdu : chaton roux. Récompense.*

il donnerait quoi, songe-t-il, si on retrouvait sa vie, si on lui rapportait sa vie perdue ? sa vie… il accélère

19

est-ce à cause du noyé ? cette nuit, l'enfant a fait un cauchemar : son père était tombé dans l'océan, là-bas où il est parti, à l'autre bout du continent

dans son rêve il assistait, impuissant, dans le port de Vancouver, au funeste spectacle de son père qui se débattait, nageait en défiant toutes espèces de monstres marins

est-ce à cause de ce béluga perdu au port l'autre jour et que des matelots n'arrivaient pas à capturer ? il rêve souvent depuis quelques jours, est-ce l'absence de ce père tant admiré, aimé ?

ce matin, petit bonheur, il y a une nouvelle lettre de Chine et sa mère l'autorise à la décacheter puis à la lire, une photo tombe sur le tapis du boudoir, celle d'un imposant personnage, l'oncle a écrit au bas de la photo : « Son Excellence l'empereur du Japon, Hirohito, le mikado ! »

ses deux grandes sœurs, leur sac d'école à leurs pieds, écoutent, sans trop apprécier cette lenteur que leur cadet met à lire, il y aura de longs soupirs

Szépingkai,

Cher petit frère, ma chère maman, chère Germaine, chers enfants,

J'ai eu 35 ans cette semaine, on m'a organisé une petite fête. À souffler : trois grosses chandelles blanches et cinq pe-

tites rouges. Je n'ai pu les éteindre d'un seul souffle, ma santé ne s'améliore pas. Toi, mon petit frère, tu auras donc 31 ans en novembre qui viendra, j'imagine tes lourdes responsabilités avec cinq jeunes enfants à ta charge. Bon courage.

Je sais par ta dernière lettre que tu voyages un peu vers la Chine, vers le bout du pays, vers l'ouest où je vis, quoi. Je ne sais pas trop ce qui t'a pris, c'est bien loin des tiens, et je doute fort que tu y déniches de si fameux importateurs, chinois ou japonais. Il n'y a pas tant de monde à Vancouver et la métropole reste l'attraction pour les marchands du monde entier.

En tout cas, c'est fou, mais je t'ai tout de même senti comme « plus proche de moi », aux rives du Pacifique. J'imaginais que tu me faisais signe, que tu m'appelais. Est-ce que j'ai bien fait de vous abandonner tous, maman veuve et mes deux petits frères, en partant pour la Chine ? Tu me fais ressentir une sorte de culpabilité.

Tu liras donc ma lettre à ton retour, j'imagine. Oui, j'y reviens, suis-je dans l'erreur en m'imaginant avoir manqué à mon devoir de « grand frère » ? Ai-je manqué de cœur ? Il m'arrive d'éprouver ainsi des remords à Szépingkai. Je me suis souvenu l'autre nuit – j'ai des crises d'insomnie – de la gare des trains, de maman au moment des adieux qui m'avait dit : « Tu pars, tu t'en vas, je serai bien seule maintenant, tu ne seras plus là pour jouer le rôle du père auprès des plus jeunes… » Cela m'avait bouleversé, tu sais. Si tu pouvais me rassurer un brin sur ce sujet.

Bon. J'ai mis une photo de l'empereur du Japon. Le « shinto *», qui est une très ancienne religion du Japon, est un culte plutôt naturaliste, de là ce surnom de «* mikado *» pour leur chef suprême. Ce culte enseigne qu'il y a des «* kami *», des dieux quoi, ou des esprits si tu veux, et que Son Altesse*

Royale est d'une dynastie shintoïste, venue donc de « l'amaterasu », *signifiant « le soleil » !*

Le général des armées, Kwantung, selon Domei (une agence de nouvelles), souhaite une alliance avec ce Adolf Hitler, le « dictateur élu » en Allemagne. L'empereur aurait déclaré que lui aussi travaille à la création d'un très vaste empire mandchou-japonais. Cette photo de l'empereur que vous tenez entre les mains est affichée partout. Ils espèrent que nos Chinois, jugés arriérés, paysans grossiers, peu instruits et pauvres (là-dessus, je suis d'accord, hélas), vont finir par l'admirer, ce « grand manitou » du Japon envahisseur. Et porteur de civilisation, bien entendu.

Ça ne fonctionnera pas, les Chinois aiment trop la liberté.

Des petits groupes de marxistes-communistes athées, soutenus clandestinement par la Russie rouge, organisent ici et là des poches de résistants actifs. Avec des sabotages assez graves parfois.

Il se peut que ma lettre vous arrive « caviardée », censurée.

J'ai mis aussi, ça va exciter ton gamin dessinateur, une photographie d'une scène peinte : un temple bouddhique, l'illustration d'un enfer ! Et l'effrayant supplice de la scie ! Tu y verras notre bon vieux godendart canayen, *un outil familier à la ferme de Laval quand nous étions jeunes. Je vous offre aussi une image curieuse : celle d'un mort exposé avec son chapeau, sa large robe de deuil, étendu sur une large planche posée sur deux chevalets. On est loin de nos beaux cercueils en chêne, hein ?*

Enfin, une photo fait voir des habitations dans des grottes naturelles. Des Mongols y habitent, pas si loin de Szépingkai. Ne dirait-on pas du monde des âges antiques, de la préhistoire ? Que voulez-vous, c'est ainsi qu'ils vivent.

Parlant d'antiquités, j'ai eu l'occasion de converser avec un très savant jeune jésuite. Il est archéologue ou paléontologue, ou anthropologue, que sais-je ? On me dit qu'il publie des études importantes pour la communauté des savants. Ce père Theillard de Chardin (c'est son nom), je l'avais rencontré sur le bateau qui me ramenait en Chine lors de mon deuxième voyage. Mon jésuite fouilleur et creuseur m'a dit que ces temps-ci, il participe à des fouilles au nord d'ici. C'est aussi un théologien aux idées avant-gardistes qui choqueraient parfois le Vatican, m'a prévenu mon supérieur. Tout un cerveau.

A-t-il voulu se moquer de moi en me confiant avant son départ : « Il se pourrait que je vienne me joindre à vous, vous prêter main-forte, car le pape actuel à Rome n'apprécie pas trop mes "élucubrations", c'est leur mot au Saint-Office », m'a-t-il dit en souriant.

Je vous raconte maintenant l'histoire de Mme *Keu. On me l'a amenée, au refuge public, bien mal en point. La peste ! Qui sévit encore en ce pays. Elle traînait son cercueil avec elle, comme le veut, je l'ai déjà dit, la coutume. Tandis qu'elle est couchée sur le* k'ang *(le lit, vous vous souvenez ?), nous tentons de briser ses résistances afin de lui administrer le sacrement du baptême. Elle va mourir, la pauvre M*[me] *Keu, tout autour, bavardages des mendiants que l'on a installés sur de bons* k'ang. *Sur briques chauffées. L'un de ces itinérants passe le temps en tuant ses poux, un autre fricote un poulet et on l'accuse de gaspiller le grain, un autre encore raccommode ses haillons.*

Vous voyez le spectacle de misère ? Leur gardien fume l'opium, un fléau par ici. Dehors, une cohue encombrante, car c'est l'heure du marché. Voilà que Mme *Keu, qui s'agite maintenant, veut que l'on retrouve absolument ses créanciers :*

« Je veux mon argent, je veux manger mon bon "dernier" repas, le meilleur jamais avalé. » On se moque d'elle qui garde une main sur son cercueil.

On grelotte, on cherche un peu partout, sinon du charbon, au moins de la poussière de charbon. On me dit craindre que ses remèdes gèlent cette nuit. Le bureau d'hygiène refuse le transport de Mme Keu à notre infirmerie : « Danger de contagion ! » C'est donc ici que je dois la convaincre des bienfaits du baptême. Voilà que soudain elle semble émettre ses derniers râlements ! Je sors mon crucifix et la voilà qui s'agite, répétant des « Non, non ! Oh non, non ! » Je lui dis : « Mais Mme Keu, pourquoi non ? » Et elle : « Pour être baptisée, on me l'a dit, il faut d'abord que je sois crucifiée et je ne veux pas me faire clouer, moi ! » Elle a pris tout de même mon crucifix mais en le tenant à l'envers, l'examinant sans cesse, palpant de son index, comme fascinée, les yeux exorbités, les deux pieds de Jésus en croix !

Ce fut donc un échec, cela nous arrive souvent, vous pouvez l'imaginer. Quand elle a été morte, je lui ai administré les deniers sacrements. Et puis, dans la paix du soir, revenu de cette funèbre sortie, je suis allé préparer mon sermon pour dimanche.

Dès que tu reviens des rives du Pacifique, écris-moi vite.
Union de prières,
Ernest

l'enfant range les photos dans un carton précieux, il a souligné des mots, ses grandes sœurs parties pour l'école, il questionne sa mère sur *archéologie*, *paléontologie*, *anthropologie*

sa maman ouvre un dictionnaire avant d'ouvrir une boîte de petits pois pour le repas du midi

20

l'enfant a mal, il est triste, il n'a plus cette chaude main pour de belles excursions en bas de la ville

son père est donc parti depuis plus de deux semaines maintenant

tard hier soir, le petit frère dormant à poings fermés dans sa couchette de fer, il a pu examiner soigneusement une mappemonde, puis il a déplié une carte d'ici, il a suivi avec son index le long chemin de fer qui traverse le continent de l'Atlantique au Pacifique, il avait le cœur gros, il aurait tant aimé voyager avec lui

ce matin, très tôt, il a pris son courage à deux mains car il veut retourner aux quais

la maisonnée dormait encore quand il a emporté son attirail de pêcheur, il s'est rendu au coin de la rue, peu de gens dehors, un jeune laveur de vitres faisait briller les vitrines du cinéma du coin

l'enfant a ramassé une correspondance de tram par terre, il en traîne partout, puis il est monté dans le tramway vert numéro 24, le conducteur guilleret lui a lancé : « Oh, le pe'tit monsieur s'en va-t-y à 'pêche à marsouin ? »

le gamin lui a souri, il s'est assis au fond du véhicule où sommeillaient quelques ouvriers d'usine, boîtes à lunch entre leurs bottines il voulait tant revoir le port et y tendre sa ligne une fois de plus, à l'aube, au fond de la cour, il avait pu déterrer quelques vers de terre, ça n'avait pas été long avec sa petite pelle pointue

il creuse toujours aux pieds de la renouée japonaise, elle abonde, son père en plante sans cesse, c'est un « fou de planter », un papa amateur iconoclaste de botanique

la mère répète souvent : « C'est pas comme moi, votre père vient de la campagne, faut le comprendre... »

il a aussi planté de la menthe chinoise : « Vous voyez, ça pousse bien, c'est surprenant ! », l'enfant en arrache souvent quelques feuilles, il les suce, ça sent si bon

« Je devrais en infuser et en boire plus souvent, dit son papa, ça me change de trop de café... »

la mère : « Mes enfants, il y a votre père qui idolâtre son grand frère, il s'enchinoise à vue d'œil, de plus en plus, sa fameuse menthe chinoise ajoute à son enchinoisement ! », et elle rit

le tram file en crissant de toutes ses roues de fer, le gamin a ouvert son casseau pour regarder les vers gigoter

« C'est mieux que des leurres », a dit le professeur Hudon, voisin et pêcheur émérite

il arrive aux quais, regarde l'heure à la grande horloge : il rentrera à midi, dira à sa mère que tout s'est très bien passé, elle le chicanera, c'est certain, il baissera la tête, fera des excuses, des promesses de ne plus jamais recommencer, il sera privé de dessert, c'est sûr, mais il s'en fout pas mal, il devra sans doute se laisser enfermer dans sa chambre en pénitence mais il ne protestera pas

il a bien le droit de vivre un peu, se dit-il, son père a cru bon de disparaître au bout du monde, et sans lui maintenant installé sur son petit banc de tôle noire, il remarque un type étonnant qui escalade la tour de l'horloge avec des câbles, il n'en revient pas d'un tel acrobate, s'il pouvait un bon jour dénicher un peu de cet accoutrement, harnais, câbles, fils de fer, courroies de cuir... et grimper lui aussi

la semaine passée, avec ses copains de la ruelle, ils ont tenté de faire du parachute, sauts du garage voisin avec un grand parapluie noir trouvé dans une poubelle, échecs répétés : floc, flac, floc ! ça a fait mal

un de ces jours, il se fabriquera un vrai grand parachute car il finira bien par trouver un drap dans les déchets, on le verra sauter dans le vide un de ces matins

il a eu du mal à bien accrocher un ver à son hameçon, quand il y parvient, il est bien certain de ramener à la maison un gros spécimen, et sa mère, malgré son escapade, sera contente

il voit un marin agile qui saute de son cargo amarré et qui marche maintenant vers lui, tout souriant, l'enfant se demande pourquoi les gens veulent toujours parler aux enfants seuls, le marin a une lourde tignasse de cheveux blonds qu'il secoue sans cesse : « Salut ! Quand j'avais ton âge, moi, la pêche, j'étais fou de ça, fou de ça vraiment moi aussi... »

il a un drôle d'accent, il lui dit qu'il est né au Portugal

« Tu espères quoi ici ? Morue, truite, achigan, maquereau ? »

le gamin dit : « N'importe quoi, m'sieur, c'est ma mère qui m'a envoyé, elle sait faire cuire n'importe quoi, ma mère. »

le blond veut lui prendre sa courte canne de bambou, l'enfant proteste, résiste, le marin échevelé rit : « T'as rien à craindre, du calme, je vais pas te la voler, je veux me souvenir de moi quand j'avais ton âge. »

sans trop savoir pourquoi il se sent soudain en sécurité avec ce rieur, l'enfant lui offre sa canne, son banc, il s'est levé et le marin exécute de grands lancers, le moulinet ronfle : « Mes camarades mangent à la taverne, moi, j'ai mon lunch, viens avec moi, je te fais visiter mon bateau. »

l'enfant laisse volontiers ses effets sur le quai et il le suit, depuis le temps qu'il souhaitait monter à bord d'un vrai bateau

« M'sieur, êtes-vous déjà allé au bord de l'océan Pacifique ? »

le marin, tentant toujours de se coiffer, lui dit : « On va partout dans le monde, mon p'tit gars, partout, Bornéo, Anvers, Alexandrie, Athènes. Vancouver aussi, bien sûr… »

l'enfant songe à son père : « À Vancouver aussi ? »

« Mais oui, Vancouver, Halifax, Miami, Los Angeles, Londres, en Norvège aussi, et en Finlande une fois, il y a pas si longtemps, à Moscou même. »

grimpé à bord, le gamin est tout content, il est un autre, changé, il dit au marin : « Un jour j'irai bourlinguer moi aussi, je visiterai l'univers. »

le blond échevelé rit, il dit se nommer Bessoa et qu'il peut comprendre au moins cinq langues, il lui fait voir ses tatouages, sur les deux épaules : sur l'une, une femme-poisson, « C'est une sirène et ça ne se fait pas cuire, ça ne se mange pas… », encore son grand rire chaleureux

sur l'autre épaule, l'enfant voit un dragon chinois, « Ça, c'est chinois, je le sais, j'ai un oncle en Chine, à Szépingkai, il me fait parvenir des photos, des cartes postales, j'ai vu ça, des dragons, souvent, êtes-vous déjà allé en Chine ? »

« Oui, souvent », dit le marin qui l'entraîne sur un bastingage à la proue, il a des sauts lestes, l'habitude

sous une cabine à la poupe traînent mille objets, le gamin imite le matelot, enjambe les attirails marins en riant

« Oui, la Chine, j'ai vu et c'est beau. Écoute, le Japon, la Corée, les Philippines, le monde entier a vu notre cargo ! »

il lui parle du Laos, de la jungle là-bas, de champs de riz à perte de vue au Cambodge, de la Thaïlande et de ses bouddhas, des éléphants

« C'est simple, p'tit gars, partout où il y a un port, on y est allé. »

Bessoa lui fait visiter la cabine de pilotage, lui montre le tableau de bord, la roue – la barre –, des manettes, puis la cale, la chaufferie, la chambre des moteurs, tout

il ouvre un coffre et lui offre un chemisier de matelot, « devenu trop petit pour moi... tiens, c'est un cadeau »

heureux comme un roi, l'enfant le remercie quand ils reviennent à son banc, l'homme-araignée est maintenant grimpé au faîte de la tour de l'horloge

« M'sieur, c'est pas la plus belle vie, ça, marin ? Voyager... »

jouant avec la ligne, le marin lui dit : « Finie bientôt pour moi la belle vie, j'aurai vingt-deux ans dans cinq mois, il y a une fille qui m'attend à Lisbonne, elle m'aime et moi aussi, on veut avoir des enfants, je me trouverai une job là-bas, on peut pas passer toute sa vie sur les mers... »

l'enfant a repris sa canne, il est songeur, ne dit plus rien, observe le grimpeur qui redescend de sa tour, une femme, des enfants ?

« Eh oui, tous les matins, je partirai aux sardines », conclut le marin en riant

le gamin met et remet sa ligne à l'eau : « Merci encore pour la visite. »

le grand blond tout dépeigné s'en va : « Bonne chance, mon garçon ! »

il va vers la taverne du port, marche comme en bondissant, c'est le pas des grands navigateurs, se dit le gamin

il serre sa ligne entre ses genoux, sort son jeu de cubes chinois, ce satané casse-tête si compliqué, tire prudemment une première languette coulissante, finira-t-il un jour par savoir défaire tout le bloc et le remonter ?

l'alpiniste audacieux de la tour n'est plus là, des mouettes excitées grignotent des restes pas loin, le soleil s'en va et des nuages s'amoncellent, très gris, un long train de fret roule vers le canal à l'ouest : « a baboum, a babam, a baboum, a babam »

s'il osait sauter dans le dernier wagon, faire comme un hobo, rouler jusqu'au bout de la ligne, au bout de l'Ouest, rendu là, surprendre son père : « Coucou, papa ! Salut, me voici. »

la tête qu'il ferait, sa surprise, songe-t-il

le train disparaît, silence sur les quais, il va être midi, une silhouette dans le soleil intermittent, le gamin abaisse la palette de sa casquette, noirceur mobile qui fonce dans la lumière, c'est un gras inspecteur en uniforme, casquette à rebord de mica sur le front, il croque dans un hamburger rempli de ketchup rouge, crache un bout de cornichon dans le fleuve

grimace du gamin, le soleil joue à cache-cache, le sombre et le clair alternent, soudain, à l'est, un lourd homme chauve, coupe-vent rouge, sort d'un hangar, marche vers une cabane bancale, se déboutonne, écarte les jambes et pisse

nouvelle grimace du gamin : il sent soudain une poussée terrible, échappe le casse-tête chinois, tire à deux mains sur sa ligne, pas encore une anguille frétillante ? non, c'est un gros poisson-chat, que son père nomme une barbue

sa mère sera heureuse, elle ne le grondera peut-être pas

une voiturette passe juste derrière lui, sorte de triporteur à pédales, un nabot ventripotent, tablier ciré, gueule ses offres de glace : « Ohé vanille, ohé chocolat, fraise, framboise ! »

l'enfant dépose sa belle prise dans du papier journal et va vers le glacier

il a toujours de la monnaie, celle de ses courses pour sa grand-mère malade, il a choisi une glace au chocolat, son essence favorite

il se dit qu'avant de remonter chez lui, il devrait aller faire un tour dans le quartier chinois et tenter de retrouver ce mystérieux sous-bassement, l'enfant voudrait revoir ces vieux Chinois qui fument avec de drôles de pipes, allongés sur des bancs

le ciel se couvre complètement, la pluie peut-être bientôt, deux coups de tonnerre, aucun éclair pourtant, il ramasse ses effets en vitesse, marche pour s'abriter dans cette église voisine dont les lampes sont de si jolis petits bateaux, y entre en retirant sa casquette, trempe sa main droite dans un bénitier de marbre en forme de coquille, fait son signe de la croix comme sa mère le lui a enseigné

personne dans la nef, à genoux en avant, il prie, il demande au ciel que son père rentre vite, que son voyage soit un bon succès, qu'il ait déniché des marchands utiles à son commerce, que le train du Pacific Railways le ramène en pleine forme pour qu'ils puissent revenir très souvent sur le port

à genoux, si seul, il prend conscience combien grand il aime son père, il en a une envie de pleurer, mais il se retient, il n'est plus un bébé, il a visité un cargo, il s'est acheté un cornet de crème glacée, il a attrapé un gros poisson

il se relève, fait une génuflexion, se signe encore avec l'eau bénite de la coquille de granit

dehors la pluie n'a pas cessé de tomber, un déluge, maintenant il faut rentrer, alors il accélère le pas, courbe le dos, l'eau ruisselle partout sur son visage, il marche vaillamment vers le terminus des trams, petites foules des midis ici et là

il scrute le trottoir pour y ramasser une correspondance jetée

assis dans le tram, serrant les genoux sur son poisson-chat qui dégouline, il examine le précieux chemisier reçu en cadeau, il le cachera, il songe encore à l'accueil qui l'attend, il se dit qu'il aurait pu demander au matelot blond de le prendre avec eux sur son bateau, il pourrait voir des pays étrangers, apprendre des langues inconnues

tiens, c'est ce qu'il dira à sa mère si elle le gronde trop, qu'il a eu une offre, qu'il aurait pu s'en aller très loin et pour très longtemps, se faire engager comme moussaillon, comme dans ces chansons qu'elle chante, *Il était un petit navire*, ou *Sur le grand mât d'une corvette*, ne plus jamais revenir, voguer jusqu'en Norvège ou en Russie, « ou même en Chine », qu'il lui dirait

dans le fond du tram, il imagine sa mère recevant une lettre de l'oncle exilé, il la voit dans le salon avec ses sœurs qui pleurent, elle lirait :

« Votre petit garçon est avec moi, rassurez-vous tous, il va bien, le bedeau Lao lui apprend à faire sonner les cloches, le barbier Pao lui a fait une tête en forme de boule de billard, je lui enseigne les rudiments de la langue chinoise, il dit qu'il doit songer à son cercueil lui aussi, comme tout le monde par ici… »

les larmes de sa mère alors, oh oui ! il se calme

arrivé sur le trottoir de sa rue, il hésite, il a peur, il examine les nouvelles affiches qu'un employé au chic uniforme bleu et rouge colle avec un large pinceau chaque côté du cinéma Château, il lit, en caractères flamboyants : *Rudolph Valentino, Gloria Swanson*

la pluie a cessé, il marche lentement, son gros poisson-chat dégouline comme jamais, il voit sa grand-mère au balcon qui bondit de sa chaise à berceaux, qui s'écrie : « Germaine, le voilà, c'est lui, je le vois ton chenapan, il s'en vient, il arrive, il est tout mouillé ! »

il hâte le pas, baisse la tête, serre son paquet, la barbue à moustaches, l'enfant fugueur se sent prêt à tout, aux remontrances, aux chiquenaudes raides, à la privation de dessert, bof ! encore de ce gâteau sec sans aucun glaçage sucré, ça valait la peine, il a visité un cargo, un vrai qui a vogué à travers toute la planète

ça y est, sa mère apparaît sur la galerie, l'air mauvais, les poings sur les hanches, ses grandes sœurs maintenant s'amènent, une à une, alors il s'arrête, dépose son barda sur le trottoir, revêt son chemisier rayé

c'est la vraie preuve de l'invitation à partir, sa mère ne dira plus rien

21

son père n'est plus tout à fait le même père depuis son retour, l'enfant le sent jongleur, perdu, très souvent comme distrait, il ne lui parle plus jamais de l'amener en bas de la ville, voilà plus de deux semaines qu'il est revenu et il n'y a pas eu de ces lundis magiques

à la maison, l'enfant a surpris des conversations animées entre ses parents, l'autre soir, quand il n'arrivait pas à s'endormir, sa mère a presque crié au salon : « Mon pauvre homme, tu devrais te trouver de l'ouvrage à l'extérieur, faire comme tout le monde ! »

une autre fois, un dimanche après-midi, nouvelle querelle, encore là-dessus : « Quoi ? Quoi, le krach ? C'est bien fini, ça, la Crise, et depuis longtemps. Les affaires reprennent, va donc te chercher une job comme tous nos voisins... »

le père criait lui aussi : « Pas question ! Je suis mon propre patron, j'ai personne au-dessus de la tête pour me commander. »

l'enfant comprend que sa mère manque d'argent, pour tout, la nourriture, les vêtements

un autre soir de chicane, elle a dit : « On serait dans la rue ! On n'a aucun loyer à payer grâce à ta mère qui est propriétaire, sinon on serait sur le trottoir ! »

l'enfant n'aime pas voir son père baisser la tête, se cacher derrière son journal, être humilié un jour, lui, il sera grand, solide, musclé, il ira travailler, il rapportera beaucoup d'argent à la maison, il se le jure

l'oncle cantinier vient chercher son cadeau de mariage, le père voulait offrir à son jeune frère son plus beau bibelot chinois mais sa mère a dit : « Voyons, ça ne se fait pas, penses-y donc ! », ensuite, ramassant ses rares sous, elle était allée un samedi, avec « ses deux grandes », au Petit Versailles, là où le choix était vaste, et ce fut un grand bol à salade en cristal importé de Prague

l'oncle Léo n'en finit plus de remercier, annonce qu'il doit descendre en bas de la ville, visiter un tailleur qui lui fait un bon prix pour son « habit de noces »

l'enfant en profite pour l'implorer de l'amener au port, jure qu'il sera sage, à pêcher au bord du fleuve, promet qu'il l'attendra patiemment, l'oncle accepte, l'enfant prend tous ses agrès, sa courte canne de bambou, il trépigne de hâte

arrivé sur les quais, il lui semble qu'il n'est pas venu depuis beaucoup trop longtemps, il regarde le fleuve vert, il vente fort, une houle bat les murs des quais, la tour de l'horloge y est toujours à l'est, la taverne à l'horizon ouest, le téléphone des taxis sur son poteau, les petits cabanons, les gros hangars, les trains de marchandises stationnés : son décor favori, tout est bien en place

deux cargos sont amarrés à gueules ouvertes, des charrettes avec de gros chevaux – bien vieilles picouilles, dit l'oncle Léo – attendent les déchargements, des camionneurs jouent aux cartes, assis sur les cageots vides autour d'eux, grosses bouteilles de bière ouvertes, pas loin, des débardeurs sacrent et crachent en s'activant le soleil est très fort, l'enfant cligne des yeux, descend sa casquette à palette d'un geste vif et installe son petit banc de tôle noire, sort ses leurres, choisit le plus joli, lance sa ligne : rapporter une belle prise à sa mère

l'oncle s'en va, promettant d'être « de retour dans moins d'une petite heure »

« Prenez tout votre temps, mon oncle », répond le gamin

le garçon se met à jongler à l'oncle en Chine, il se demande comment ça se fait que lui, un petit gars, il aimerait tant y aller, rencontrer le bedeau, le barbier, il sourit en songeant à son oncle en soutane qui saute de hauts murs, à cette jeune Chinoise qui, en mourant, crie « Yésu », et puis pense encore à cette vieille qui, craignant d'être crucifiée, tenait le crucifix à l'envers en examinant les pieds du Christ

d'où lui vient donc ce goût très fort, cette envie tenace d'aller en Chine ? il met ce désir sur le compte de l'envoûtement créé par les belles cartes postales, les photographies

souvent dans sa chambre, tard le soir, il se relève pour les examiner

c'est de nouveau un bon lundi : un lourd poisson tente de s'arracher à sa ligne, un vieux marin barbu s'approche, aide le gamin, à deux ils réussissent à sortir du fleuve un très beau gros brochet

le marin allume un petit cigare, le félicite et s'en va vers la taverne, l'enfant sort son vieux journal de son sac, y enroule sa remuante prise, fier

à son retour, l'oncle lui fait de grands compliments : « Eh ben, t'es devenu un expert, mon p'tit neveu, un expert, bravo ! »

il est midi moins le quart à l'horloge du quai voisin, l'enfant ramasse ses affaires, donne la main au cantinier qui tient son habit de mariage neuf dans une longue boîte plate : « Finalement, pas de *mesurages*, rien, je l'ai acheté tout fait, un client de ma taille lui avait fait faux bond. »

le gamin dit : « Mon oncle, si vous le voulez mon brochet, il est à vous, ce serait mon cadeau de noces... »

l'oncle refuse net : « Non, non, garde-le, assez de cadeaux pour aujourd'hui, déjà que j'ai eu mon habit neuf pour des pinottes ! »

ils marchent la main dans la main vers le Chinatown, l'enfant préférerait la grande main chaude de son père qu'il aimait tant

« On va aller manger des rouleaux chinois, j'en raffole comme toi, c'est ma faiblesse. »

sur place, l'enfant reconnaît cette cave qui l'intriguait tant, par un soupirail il aperçoit encore ces drôles de fumeurs, leurs drôles de pipes, n'en pouvant plus il questionne l'oncle : « Ils ont de drôles d'air, qu'est-ce qu'ils font, entassés comme ça, mon oncle ? »

« Ce sont des drogués, des malheureux, ils fument de l'opium. »

l'enfant dit : « L'opium, je sais ce que c'est, une lettre de votre grand frère en parle comme d'un fléau, il a écrit ça : "un fléau". »

ils avalent goulûment leurs quatre *egg-rolls* avec beaucoup de sauce aux prunes : « Avouons-le, c'est ce qu'ils font à la perfection, nos Chinois. »

dans le tramway du retour, l'oncle lui répète ce qu'il lui a déjà dit : « J'espère qu'un jour j'aurai un p'tit gars débrouillard et vaillant comme toi, mon neveu. »

l'enfant bombe le torse, il serre son brochet contre lui

au Château, les hauts placards colorés font voir de grands cow-boys avec de longs revolvers brillants, des lassos, de fiers chevaux les entourent, au loin les Sauvages fuient

l'enfant aimerait tant pouvoir y entrer, il a hâte de grandir

de leur trottoir, il voit la grand-mère sur son balcon et, marchant plus rapidement, il sort son poisson, en riant, le montre au bout de son bras levé plein de fierté, sa grand-mère, en riant autant que lui, l'applaudit

arrivé devant chez lui, il l'entend, penchée en deux, lui dire :

« Tu vas me promettre de m'en garder une part, mon futur p'tit pape ? », l'enfant fait de véhéments signes de tête affirmatifs, entre chez lui, court vers la cuisine, son poisson à la main

il se dit que s'il ne gagne pas d'argent encore, au moins il contribue un peu à la nourriture de la famille

il voit son père, la tête dans les mains, il en est attristé, il lui dit : « Papa, ces Chinois dans leur cave, ils fument du fléau, papa, de l'opium, mon oncle me l'a dit. »

le père se redresse, voit son frère et déclare : « Te sens pas obligé de tout dire, des fois c'est rien de bon pour des enfants ! »

le frère rit : « C'est plus un bébé, mon vieux, veux-tu voir mon bel habit de noces ?

– Une autre fois… j'ai pas la tête à ça et je dois partir pour mon magasin. »

l'enfant observe sa mère qui examine le lourd brochet : « On va en avoir pour au moins deux repas, pas vrai m'man ? »

a-t-il déjà oublié sa promesse à Mémeille ?

22

un rêve des plus bizarres cette nuit, le vieil homme se voit stationner sa vieille Camaro blanche décapotable dans la cour d'un collège de l'ouest de la ville, là où son père avait étudié, un élève timide, torturé, réfractaire quand, en 1918, ce collège était un pensionnat – du genre « petit séminaire » – dirigé par des prêtres

son père lui avait raconté qu'il s'était sauvé un jour pour rentrer « sur le pouce » à la ferme familiale et annoncer à sa mère – la chère Mémeille au raisin vert du balcon – qu'il voulait abandonner ces études classiques trop contraignantes

à l'époque de la Camaro du cauchemar dont il venait de sortir, le vieil homme enseignait l'histoire de l'art moderne, publiait chaque matin une chronique dans un quotidien populaire, justement on l'avait invité pour qu'il raconte aux collégiens ce métier de bavarder *ad lib* selon ses humeurs

rêve fou car voilà que, voiture garée, il s'est vu sautant dans un bus qui roule vers l'est, vers la grande station du bout de la ligne de métro, dans le nord de la ville, rendu là, il descend un escalier et il ne reconnaît plus cette station qui lui est familière pourtant, des escaliers s'offrent aux quatre coins, il s'engage dans l'un à sa gauche et il débouche dans une sorte d'entrepôt où des passerelles de béton enjambent des trous, puits profonds, obscurs, et voilà qu'il n'arrive pas à trouver les voies avec les trains

il marche sur une sorte de viaduc souterrain immense pour faire face de nouveau à des escaliers métalliques, il ne sait plus où, comment se diriger, il est perdu, on a changé complètement cette station

dans son rêve kafkaïen cela sembla durer des heures

quand, enfin, il découvre une grande porte de garage ouverte, il s'y précipite en courant, soulagé de pouvoir sortir de ces labyrinthiques lieux d'une architecture insensée, cela le conduit au cœur d'une vaste place publique dans une ville qui lui est totalement inconnue, des gens vont et viennent, tous pressés, avec des visages graves, ils ont des faciès étrangers, il a l'impression d'avoir été projeté dans une ville d'Europe de l'Est

le voilà qui tente d'approcher des gens mais on refuse de l'informer, il y a une méfiance dans l'air, il va d'un passant à l'autre mais, chaque fois, prétextant ne pas le comprendre, on se débarrasse agressivement de cet intrus, de ce « perdu »

marchant vers un carrefour, il voit un camion rempli de soldats, de policiers peut-être, il s'en approche, se disant que des militaires ne refuseront pas de le renseigner, il veut seulement savoir où il est rendu, hélas, un grand type barbu, bardé de grades, le saisit et lui indique grossièrement qu'il doit monter dans le camion, il tente de s'expliquer, rien à faire, deux soldats, le voyant si rétif, l'empoignent et le font grimper de force dans la boîte du camion à la bâche sale et usée

il n'ira nulle part car le vieil homme se réveille et constate qu'il est couché sur le sol, son oreiller entre les jambes il n'a plus sommeil, il allume sa lampe de chevet, ouvre un petit tiroir, sort la boîte à souliers, pige au hasard une lettre, la lit :

Szépingkai,

Cher petit frère,

En Chine, le fameux krach, la grande crise boursière qui a fait tant de faillis, de désespérés, de suicidés, il y a cinq ou six ans, n'a eu aucun sens. La pauvreté régnante se continuait par ici, quoi. De vieux Chinois de nos convertis me parlent de bizarre façon de ce triste événement et je constate qu'on leur a raconté des sornettes fabuleuses, que cette Crise fut transformée en une sorte de folie collective tournant au désastre occidental, ils me parlent d'un gigantesque hold-up planifié avec d'odieux brigands très organisés venus de Moscou et, dans ce New York de 1929, acoquinés avec des Américains complices révolutionnaires qui voulurent délibérément jeter à terre le capitalisme des États-Unis.

Quand je tente de raconter la vérité, c'est-à-dire la machination de ces cupides spéculateurs, si voraces, aux calculs sordides voulant déjouer des surveillances défaillantes, ils hochent tous du bonnet, rient sous cape, et semblent me juger comme un pauvre candide qui ne sait pas « le fin fond du vrai » de cette effrayante agression communiste. J'ai refusé d'aller plus loin et les laisse dans leur conte fantastique…

Je suis désolé de ton amère déception mais si tu m'avais consulté pour ce long voyage, je t'aurais prévenu : un futile déplacement. Bon, tu le sais maintenant. Vancouver n'est encore qu'une bien petite ville et c'est dans la métropole du pays, chez toi, qu'il y a les meilleurs exportateurs et importateurs. Mais Toronto, qui grossit vite d'après ce que j'en sais, pourrait bien un jour vous supplanter. Tu vois que je me tiens bien au courant de tout… ici, en ma lointaine Mandchourie.

Voici d'autres photos : l'une vous fait voir un cordonnier au bord de la rue, avec ses outils, ses bouts de cuir, son étal portatif et la grosse semelle de métal sur pied. Une autre photo montre un maréchal-ferrant, voyez son support à guillotine avec cordages pour « palenter », avant de les ferrer, chevaux, poneys, mules, ânes, etc. Enfin j'ai mis une photo d'une poterie avec sa grande cour où vous pouvez voir ses tas de tuyaux, des tuiles, des plats et des assiettes, divers produits d'argile cuite, quoi. C'est une vraie industrie par ici et (relativement) prospère.

Ton fils m'a mis de ses dessins encore, dis-lui merci, il réussit des binettes de Chinois amusantes et ses dragons qui crachent le feu sont vraiment effrayants ! A-t-il réussi à manger avec les deux bâtonnets que je lui ai envoyés ? Tu me parles de tes difficultés de marchand et j'en suis attristé, mon petit frère. Mais quand j'ai su, il y a quelques années, pour tes deux premiers magasins (avec l'aide de notre mère), un rue Green, puis l'autre rue Mont-Royal, je me questionnais car je t'avais connu, enfant et adolescent, tellement rêveur, si peu réaliste, pas businessman du tout. Je ne te voyais pas à 19 ans comme un commerçant capable. Pas du tout.

Ayant abandonné, hélas, tes études classiques à 17 ans, n'es-tu pas allé aux Beaux-Arts une année (l'année de mon départ) ? Je te voyais donc en professeur de dessin puisque, comme ton garçon, tu adorais barbouiller et modeler des bonshommes avec la glaise trouvée sur la ferme, c'est pas vrai tout ça ? C'est notre maman inquiète qui, te voyant jeune chômeur, s'était mis en tête de te subventionner, se disant que tu réussirais peut-être en marchand de thés et de cafés importés, d'épices, de bibelots orientaux. Mais il y a eu cette crise économique et tout est tombé au ralenti. Je prie chaque jour pour que ton commerce se redresse.

Ça me fait drôle de savoir que tu vends de ces idoles (en répliques) que nous, ici, recommandons de brûler à nos nouveaux convertis. Mon ami cher, Fernand Schetagne, est devenu curé à Lichou et je m'ennuie de ce raconteur inouï. Hier, il m'a écrit: « Hoang kin, soei fen leang », *un proverbe chinois qui veut dire: « Bien que précieux, il faut quand même un homme pour mesurer l'or. » Oui, autrement dit: sans le talent humain, que vaut l'or brut? L'as-tu su, chez vous, nous avons organisé un camp d'été pour quinze enfants pauvres du Chinatown, aux grèves de Contrecœur? Et qu'il existe maintenant une troupe de jeunes scouts chinois, proche d'un lac dans le Nord? Je tiens ces nouvelles du pays, que tu ignores, je gage, par la correspondance avec notre maison mère.*

J'oubliais, ai mis aussi photo de caravanes dans le désert de Gobi, au moins cinquante chariots! Dans l'est de la Mandchourie vivent trois millions de Mongols et nous n'avons pas les moyens, hélas, de bien évangéliser tout ce monde. Comment lutter contre ce bouddhisme qui enseigne hélas que la vie n'est qu'illusoire et passagère? Cette semaine, j'ai eu à affronter deux types méchants, l'un tente de s'installer parmi nous mais c'est un voleur, ce Tcheou. Un filou de la pire espèce, un gredin, un lascar. L'autre est un opiomane invétéré, récidiviste malgré tous nos efforts de le corriger de son vice. Dur de les chasser mais il le fallait bien.

Voici pour ton garçon qui estime tant la langue d'ici: le pays se nomme: « Tchongkouo », *locomotive se dit:* « houo-tch'ö-t'eou » *et motocyclette:* « tien lu tch'ö », *« âne électrique » littéralement! Impossible ou incapable se dit:* « mei fa tseu » *et on me le dit souvent ce* « mei fa tseu », *car je travaille ferme à mon dictionnaire pour romaniser le chinois, qui est, en Chine du Nord, le mandarin. Pour terminer, ça va t'amuser, tu sais que j'étais bricoleur de tout et en tout dès le collège ? Mon camarade, poète en soutane, Henri Masse, a composé une chanson qu'il a mise en musique pour me moquer et j'offre en primeur de ses rimettes folichonnes :*

Si les statues font pitié / Ou une frise, un bénitier / Sans attendre à demain / Allez voir l'père Jasmin / Si dans votre cambuse / Vous avez un piano / Ou quelque cornemuse / Cornant d'plus en plus faux / Faut ce soir même / Lui confier ce problème

Refrain :

Un p'tit peu de plâtre par-ci / Un peu d'mastic par-là / Sans oublier la colle / Faut pas qu'ça s'décolle / Un peu d'couleur aussi / Passée de haut en bas / Et v'là vot' instrument / Harmonieux comm'avant !

« Excusez-la ! », comme nous disions à la campagne.
Union de prières,
Ton grand frère,
Ernest
(P.-S. : Maman va mieux, j'espère.)

le vieil homme éteint la lampe, il voudrait bien se rendormir

hier midi, il y repense, il a été invité à luncher dans un restaurant vietnamien par ses petits-fils et, en s'y rendant, il a fait une chute spectaculaire sur le trottoir, étendu de tout son long, il a eu honte, s'est senti un homme fini

on venait de lui offrir une jolie canne vernie de rouge avec des sculptures de dragons chinois ils ne bougeaient plus, tous, gênés, alors il s'est relevé tout seul, il a ri, il a dit : « Vous avez vu ma technique ? Faut pas oublier, pour ne rien se casser, il faut se laisser aller, oui, oui, ne pas s'empêcher de tomber, c'est mon secret, je vous l'offre, quand vous tombez, laissez-vous aller, c'est mieux. »

ils ont ri timidement, il a senti qu'ils devinaient bien la vérité : il devait tomber souvent, leur pauvre vieux grand-père !

23

visite mensuelle obligatoire au village voisin, à cette clinique du Dr Singer qui lui dit : « Vous devriez cesser d'acheter ces plats préparés à votre école hôtelière, ces sauces *à la française*… pire, vous m'avez avoué vous empiffrer de leurs pâtisseries, du caca tout ça, apprenez donc à manger sainement. »

Le vieil homme lui sourit : « Dois-je comprendre que tout ce qui est bon est mauvais ? », le disciple d'Hippocrate sourit lui aussi : « Vous avez tout compris. »

une semaine presque sans sa piscine, lassitude ou quoi ? il ne sait pas, ce grand bain quotidien trop chloré lui pèse bien souvent, il n'a donc pas trop regretté cette pause de natation à la suite d'une autre malencontreuse chute, cette fois dans l'escalier de la cave, un déboulement un peu amorti par les deux rouleaux de tapis de « coco » qu'il venait de déclouer du trottoir de bois de son entrée et de jeter dans cet escalier maudit

clinique, examens, séjour de deux jours à l'hôpital le plus proche

retour au bain, le vieil homme a décidé de nager plus tôt désormais

en arrivant, il croit apercevoir un raton-laveur trottinant près du long escalier, il s'approche, non, c'est une marmotte il songe à celle de son terrain, familière, il imagine ses nombreux couloirs souterrains, son réseau de cachettes et de voies de sortie, il repense à son récent cauchemar de la station de métro, cachette sous terre

il arrive au vaste stationnement de l'hôtel, il ne s'y trouve qu'une seule voiture, il descend rapidement : porte d'entrée verrouillée, on a posé un bouton de sonnette sur le chambranle extérieur, il sonne, un type endormi, renfrogné, noir de poil, lui ouvre

« L'hôtel est fermé ? »

le noiraud : « Oui, m'sieur, depuis une semaine, ça va durer des mois, il y a eu vente et les nouveaux proprios font faire des rénovations, ça va rouvrir début août. »

le vieil homme se dit qu'il dénichera bien une autre piscine, il marche lentement vers la terrasse voisine et s'assoit sur un long banc à très haut dossier, il fait si beau soleil

cette chute encore... devoir déménager dans un des centres d'accueil pas loin ? l'un de ses examinateurs à l'hôpital lui a parlé d'un foie très malade, il lui a répondu : « Pas étonnant, ma mère faisait une cuisine si grasse... »

Aussitôt, une jolie jeune docteure a répliqué : « Laissez les femmes tranquilles, vous, surtout que votre mère n'y est pour rien, j'ai étudié votre dossier, vous êtes né comme ça, avec un foie très paresseux ! »

le mot « paresseux » le frappe, il se jugeait si actif... paresseux ?

il admire le petit lac enfin débarrassé complètement de ses glaces, partout des bourgeons pendent aux branches des feuillus, aux bosquets de vieux lilas près du curling

il avait apporté une poignée des lettres de Chine, il voulait lire quand la piscine contiendrait trop de baigneurs il ouvre une lettre, elle date de 1945, il avait quinze ans après la guerre, il se souvient qu'il était moins fasciné par les lettres de l'oncle, premièrement, il avait vieilli, et deuxièmement, il n'y avait plus de cette Chine exotique, rêvée, l'oncle ayant été rapatrié :

Royaume du Saguenay,
« Pâques à Szépingkai »,
Mon petit frère bien-aimé,

Ma santé ne se rétablissant pas du tout, pas question pour mes supérieurs de me renvoyer en Chine, hélas. On vient donc de m'expédier, je t'en ai parlé au téléphone, au « Royaume » du Saguenay. Me voilà devenu simple aumônier dans un couvent de religieuses.

Je suis loin de mon ancienne vie, ici eau chaude à volonté, chauffage central et dix, vingt, cent autres commodités, absolument introuvables en Mandchourie. Je me suis acheté, vu les distances, un vélo tout neuf, jaune, à trois vitesses. Ça me rappelle nos fréquentes excursions de jeunes cyclistes, tu t'en souviens ? un peu partout dans Laval.

Tu m'as demandé, il y a une semaine, de te raconter ce qui a pu se passer à Szépingkai une fois les Japonais chassés de la Chine du Nord. Pour mieux me souvenir, je m'aide d'un récit du confrère Germain Ouimet. Je te raconte… mais, en passant, n'oublie pas de m'écrire pour mieux m'expliquer ces faiblesses graves de ton gars à son collège. Il m'avait pourtant semblé intelligent, espérons qu'il ne marchera pas dans les traces de notre benjamin, Léo. Ou dans les tiennes, car je ne peux oublier que son papa, toi, quittait vite les études après sa classe de versification, hum…

Bon. Je pourrais très bien intituler ce récit : « Pâques à la communiste » ! Te dire d'abord ceci : qui aurait pu ima-

giner, les Japonais vaincus, cette terrifiante guerre entre Chinois, entre nationalistes et communistes ? Ce sera pour nous, dès 1945, la découverte de la vraie guerre, pas juste une « occupation ».

Tout ce printemps de 1946 à devoir se terrer dans les caves, obus et bombes des deux clans chinois semant la terreur.

Début du cauchemar, le 17 mars, avec l'entrée de la Huitième armée communiste.

Nous dormions paisiblement et, soudain, à 3 heures du matin, de violents coups frappés à la porte centrale qui était voisine de ma porte de chambre. Je me lève, très certain d'avoir à faire face à des brigands. Des vitres volent en éclats et la porte est défoncée ! En robe de chambre, me voilà face à face avec cinq hommes armés, grenades en bandoulière, fusils pointés sur moi : « De quel pays êtes-vous ? », me cria un soldat. « Nous sommes des catholiques en mission et il y a de grands malades ici », que je lui dis. Le père Gravel, ultranerveux, se joint à moi les bras en l'air lui aussi. On nous ordonne de sortir immédiatement mais nous répondons qu'il fait beaucoup trop froid. Baïonnettes aux reins, ils nous poussent dans la cour. On sent que c'est la prise de la ville, bruit des balles qui sifflent dans nos alentours.

Et puis soudainement, changement d'attitude, un chef nous fait des excuses et nous dit d'aller nous vêtir chaudement. Au bout d'un quart d'heure, voilà des officiers tout joyeux qui s'amènent, qui nous serrent la main, nous font des salamalecs.

On se colle tous aux murs du couloir car des soldats arrivent et envahissent notre séminaire. Le bruit des tirs dehors se fait toujours entendre.

La journée commençait bien mal. On priait. Plus tard, pour nous débarrasser des hosties consacrées, je distribue la sainte communion à tous nos séminaristes réunis. Puis on vient nous annoncer, heureux, que Szépingkai est une ville prise ! Mais on entend encore des obus qui éclatent pas bien loin. On voit, dans la cour, des officiers qui étudient des cartes et font des plans de bataille.

Un calme relatif règne. Le lendemain, nous disons une messe d'action de grâces. Puis on fait nos bagages par prudence. Pendant que, à cheval, deux officiers font le tour de nos bâtiments.

Quelques jours plus tard, c'est l'annonce que cent trente hommes viendront s'installer ici, on nous prévient que nous devrons déménager ailleurs. Mais où ? Nous entendons dire que des troupes de soldats nationalistes s'approchent, qu'ils seraient à cent milles d'ici, à Moukden. On craint de furieux combats.

Des soldats communistes viennent jaser avec nous dans notre refuge. De nouvelles troupes apparaissent qui montent des fortifications dans la cour et à l'extérieur. Chaque nuit, nous ne dormons que d'une oreille !

Maintenant, quand nous disons la messe, ces soldats viennent observer nos cérémonies, curieux, amusés. Début d'avril, nous les voyons ramasser leurs effets, faire leurs bagages en vitesse ! Que se passe-t-il ? Un canon gronde sourdement pas bien loin. De quel camp ? On ne nous dit rien, c'est tout entendu. Un major surgit : il va y avoir deux cent vingt autres soldats à loger. Une religieuse vient nous dire que la paix s'en vient, mais, par la suite, un clerc de Saint-Viateur dément la bonne nouvelle.

C'est le mystère.

Le Jeudi saint, on nous amène, ligoté, le maire de Szépingkai en tenue de prisonnier ! Voilà que l'on chuchote : des communistes de l'est retraitent, d'autres, ceux du sud, se sau-

vent aussi ! Mais des boulets et des obus tombent pas loin de la cour.

Vendredi saint et pas d'office.

À minuit juste, deux formidables coups de canon, et descente en vitesse dans la cave. Le matin, au réfectoire, un pauvre petit-déjeuner rapidement avalé. L'angoisse règne ! Pleuvent maintenant des boules de feu ! Ce sont des bombes incendiaires.

Des obus éclatent. Avec mes jumelles, le jour d'après, je verrai approcher un camion et deux automobiles qui apportent des munitions. Y a-t-il siège ? Je récite mon bréviaire nerveusement à la chapelle. Ce soir-là, nous, les trois cents assiégés, tentons de sortir avec des drapeaux de la Croix-Rouge. Vainement, car des bombes tombent de plus belle, les nationalistes sont certains qu'il n'y a ici que des communistes, alors ils tirent leurs obus et des chambres flambent.

C'est de drôles de Pâques. Un 21 avril de terreur. Nous disons la messe rapidement et puis déjeunons dans la cave enfumée, effrayés à mort. Le parloir est en feu. On joue les pompiers improvisés sans cesse. Accalmie enfin le 26 et aussi le 27. On met plein de bois dans les corridors pour protéger le plafond de la cave des bombes. Le soir du 30 avril, mitrailleuses en action et passage de nombreux tanks, toute la mission en branle tant les gros canons tonnent.

Début de mai, un avion passe et jette des feuillets. On lit : Avertissement : communistes, rendez-vous sinon gare, tout sera rasé ! *Comment dire que nous sommes là et prisonniers ? Seigneur, ayez pitié de nous ! Le toit est défoncé à maints endroits. Le 12 mai, encore des feuillets dans notre ciel, cette fois on demande à la population civile de se creuser des trous car une grande attaque finale est prévue pour demain !*

Des bombardiers de chasse sillonnent le firmament. On nous rapporte que les communistes, au nord, se sauvent. Ouf! Enfin les soldats quittent les lieux. Et voici que ce sont les nationalistes qui entrent dans notre cour! Le drapeau de la Chine nationaliste flotte sur un de nos bâtiments. Je reçois un colonel, très affable, parlant français car, me dit-il, il a étudié à Paris.

On nous rassure. C'est bien terminé? Ses hommes portent des chandails « made in Canada »! Au matin du 20 mai, un long train apparaît en gare de Szépingkai, la locomotive en arrière, avec chargement d'armes américaines. On nous fait voir des grenades venues d'Angleterre. Ensuite l'on démine, tant de pièges mortels laissés dans la débâcle. Ça cogne à la porte, j'ouvre à un colonel, c'est un Américain, raide, poli mais sans plus, qui nous confie: « On a encore rien vu. C'est pas terminé. Ces bagarreurs acharnés du damné Mao Tsé-toung, ces illuminés fanatiques, vont vouloir vite revenir, vous verrez. »

Voici que s'amènent à Szépingkai, très énervés, quatre journalistes, un Russe, un Français, un Chinois et un Américain, ils veulent nous poser des questions. Nous racontons ce que je viens de t'écrire. Nous respirons guère mieux et guettons la suite de ce conflit entre Chinois, pas rassurés du tout.

Mon petit frère, je l'ai échappé belle, non? Tu connais la suite, la victoire des maoïstes farouchement anti-religions et puis l'ultimatum final, non négociable, notre retour à tous.

Peux-tu imaginer mon état d'esprit? Tant d'années à construire patiemment et, soudain, fin, démolition complète de tous nos efforts. J'y pense sans cesse, c'est comme si nous avions bâti sur des sables mouvants. L'horreur de cet échec me hante jour et nuit, ma vie comme gaspillée en vain. Je dors mal.

Union de prières,
Ton grand frère, souvent à vélo

le vieil homme replie la lettre, son oncle malheureux aurait pu afficher : *Perdu : ma vie. Pas de récompense.*

il se lève du grand banc, tient solidement sa canne à dragons rouges, pas loin un geai bleu fait entendre ses cris rauques, un oiseau si beau, il remonte lentement vers le parking vide de l'hôtel fermé où des couvreurs bien outillés rampent déjà sur les toits

où trouver sa nouvelle piscine, où ?

s'il pouvait, parmi ces lettres, dénicher la trace d'un oncle tourmenté durant ses oraisons et qui, stupéfait, aperçoit un lapin souriant juché en haut d'un arbre, ou mieux encore, la trace d'une petite vieille Chinoise au fond de son cabanon, possédée du démon, l'écume à la bouche, qui injurie son bénisseur, blasphémant comme un charretier avec un accent bien de chez nous

mais non, rien

oh, pense-t-il, les mensonges que son père contait !

24

il y eut donc un matin excitant

un télégramme, une nouveauté pour la petite famille

« ... je monte dans le train du retour STOP *tout a bien été* STOP *serai donc rentré à la maison bientôt* STOP *hâte de vous revoir tous dans pas longtemps* STOP. »

l'enfant a tellement hâte de le revoir qu'il en dort mal

de tous ses gribouillages – il dessine sans cesse et possède une grosse boîte pleine de crayons de cire –, l'enfant en a choisi trois et les a mis à la poste pour son oncle en Chine, il y a glissé quelques feuilles arrachées dans la cour et a inscrit : *menthe chinoise*

selon son père – mais est-ce bien vrai ? –, son premier dessin illustre le buandier chinois de son coin de rue, on y voit sa poche de linge sale sur le dos, sa longue couette dans le cou, son deuxième dessin est celui du gras bouddha de porcelaine, il en a fait l'esquisse au magasin de son père rue Saint-Hubert

il y est allé avec sa mère samedi dernier et la serveuse, Rose-Alba – « la grassette à Léo », dit sa mère –, lui a donné un morceau de gingembre et puis a fait du thé pour la mère et elle, les deux femmes sont très contentes du retour prochain du « propriétaire »

son troisième dessin, sur une très grande feuille achetée à la librairie Raffin, consiste en un joli portrait – cheveux frisés si blonds, yeux si bleus, joues trop rouges – de Raynald, le bambin d'à peine un an, l'oncle le verra qui caresse un ourson en peluche

sa mère a pu admirer la bague de fiançailles offerte à Rose-Alba par l'oncle

« Le frérot cantinier ne bamboche plus du tout, oui, enfin il s'est assagi ! » a-t-elle dit comme en secret à ses grandes sœurs à la maison

une lettre nouvelle arrive, joie de l'enfant, car sa maman l'autorise à l'ouvrir et à la lire, ses sœurs étant déjà parties pour l'école, la cadette, Marielle, se colle sur lui, il espère de nouveaux mots chinois

il a déjà inscrit dans un cahier spécial ce *k'ang* pour « lit », ce *tchong kouo* pour « pays », ce *houo-tch'ö-t'eou* pour « locomotive », ce *tien lu tch'ö* pour « motocyclette » ou « âne électrique »

« J'ai des commissions à faire chez Bourdon, dit la mère, tu vas monter avec ta petite sœur chez grand-maman, elle sera si heureuse de t'entendre lire cette lettre de son grand garçon exilé. »

à l'étage, Marielle joue avec des bobines de *floss* à broder

au salon de Mémeille, un grand verre de jus de raisin devant lui, l'enfant lit, pas assez vite à son goût, sa Mémeille Albina l'écoute en raccommodant le talon troué d'une chaussette de laine blanche

Szépingkai,

Mon cher petit frère, chère famille,

Je vous parle souvent de la pauvreté de mes bons Chinois, il faut pourtant savoir que la Chine a été un pays extraordinaire, ils ont inventé des tas de choses, il ne faut

pas l'oublier, le papier, l'encre de Chine, la poudre à canon, par exemple. Tenez, bien avant Gutenberg, les Chinois connaissaient l'imprimerie, oui, on a retrouvé des imprimés datant, tenez-vous bien, de mai 868!

Maintenant, ma petite leçon de géographie, si vous me permettez: cet État mandchou où je suis reste une région en retard par rapport à la grande région de Pékin plus au sud. Ici la capitale régionale est Hsin-King et le Mandchoukouo actuel est une sorte d'agrandissement territorial de la Mandchourie imposé par le Japon conquérant. Loin au nord, c'est la Sibérie russifiée convoitée par l'empereur de Tokyo. Au nord-est, c'est la Mongolie extérieure, au sud-est, il y a la Corée, et au franc sud, c'est Pékin et la vieille Chine.

Ce Mandchoukouo, c'est un million de kilomètres carrés, c'est en superficie disons toute l'Allemagne avec la France et l'Italie réunies, vous voyez l'espace, le portrait? Il y a trente-trois millions d'habitants! Imaginez notre travail de christianisation, on en a pour des siècles, n'est-ce pas? La fameuse révolte chinoise, dite «des Boxers», en 1900, année de ma naissance, a fait des persécutions catastrophiques, énormes massacres. Les jeunes missions du temps, à Moukden, à Kirin, furent totalement dévastées.

l'enfant peinait un peu à lire et était déçu: pas de nouveau vocabulaire chinois pour son cahier

C'est en 1921, au bord de notre rivière des Prairies, que furent fondées «Les missions étrangères», que fut édifié mon séminaire. C'est en 1925 que les rares chrétiens chinois nous virent donc arriver en renfort. J'en étais. Toi, tu n'avais pas 20 ans encore que tu avais déjà pris épouse, ta belle Germaine. Maman t'avait ouvert, dans Greene Avenue je crois, ton premier magasin de thés, cafés et épices. Puis ta plus vieille, Lucille, naissait. Votre bonheur! Je me rappelle tes premières lettres.

Revenons au temps présent: ça y est, nous venons d'obtenir la permission des autorités pour la construction de notre petit séminaire à Szépingkai; ainsi 1935 est une grande année pour nous ici. Vous devriez voir le fourmillement de tous nos travailleurs. Si habiles en maçonnerie, ces Chinois. Nous prévoyons quatre cents jeunes aux études ici un jour. Au fond de la cour, nous venons tout juste d'installer une «grotte de Lourdes» qui sera inaugurée par notre évêque sous peu. Vous auriez dû voir la procession inaugurale: des fleurs en quantité, c'est la bonne saison, partout des lanternes et des torches, la nuit illuminée, magnifique grand char de festival avec le brancard très décoré et la statue de la Vierge dessus. À la fin, entonné en chœur, le Salve Regina.

Comment va la santé de maman? Prend-elle du mieux? La verrai-je encore vivante quand j'irai en congé? On y a droit tous les douze ans; dans mon cas, ce serait vers 1939. Pas avant, hélas. Il m'arrive souvent de penser à elle le cœur serré. Elle venait me visiter au Grand Séminaire des sulpiciens, si seule, veuve triste. Elle m'avait dit un jour: «Pourquoi cette idée de la Chine? J'aurais préféré te voir vicaire dans une paroisse des environs, je serais allé te voir à mon goût.» Une vocation qui la chagrinait beaucoup, donc. Se savait-elle déjà malade du cœur? Ce cœur, mon petit frère, qui nous a tant aimés, tu le sais.

l'enfant a vidé son verre, lève les yeux et voit des larmes couler sur les joues de sa grand-maman, alors il oublie son verre vide et continue à lire:

Tu dois savoir qu'ici un prêtre de 40 ans est un homme usé. Oui, « un vieux » déjà ! Nous l'avons appris par hasard en fouinant dans de vieux rapports médicaux de médecins français travaillant pour l'armée et qui avaient examiné des prêtres, c'est écrit sur des papiers officiels : « sénilité précoce, usure cardiaque ». J'aurai mes quarante ans dans peu de temps. Changeons de sujet : je suis allé voir la restauration d'une pagode pas loin d'ici, on a sorti les statues des dieux durant ces travaux, on leur a bandé les yeux avec des feuilles de papier, un rite obligé. La rénovation terminée, on rentre les statues et on défait les bandages ; ainsi, disent ces Chinois, les esprits peuvent revenir habiter leurs statues.

Dans une de tes lettres, tu m'avais demandé d'où vient leur sens extrême de l'économie. Sache donc qu'il est rare qu'un Chinois gagne $2,000. Par année ! C'est un petit $20 par mois, moins d'une piastre par jour, et ils ont souvent des familles de cinq personnes ! Il y a des « un peu plus riches », par exemple la famille Soun.

Je veux vous raconter maintenant comment vivent nos gens « un peu en moyens ». Les Soun, donc, vivent à une quinzaine de milles d'ici et ils cultivent cinq cents arpents. Cette semaine, les Soun m'ont envoyé un chariot, ils veulent me voir absolument. Un gros poney dans le brancard et aussi des bagages pour leurs enfants mis dans notre école. Trois mules noires sanglées de cuir tiraient sur les longs traits de chanvre, se raclant les flancs énormément. Ce sont leurs camions à eux, mes Chinois, ces attelages de mules.

En chemin vers chez les Soun, j'admirais les champs très propres, les sillons à perte de vue. Les saules et les peupliers chinois qui bordaient la route – faite par la nature à force de passages – étaient tout courbés, chétifs, rien à voir avec les grands arbres où nous grimpions toi et moi à Laval-des-Rapides.

Bon, j'arrive enfin chez eux où se dresse un long mur d'enceinte, fréquent en Chine, fait en terre, huit pieds de haut ! Je vois d'énormes tas de tiges de sorgho, c'est pour leur chauffage. Quand je fais mon entrée dans leur cour, une trentaine de personnes m'accueillent, leur hospitalité classique. Ils sont cinq frères Soun, tous mariés, vivant en communauté de biens, coutume encore. J'aperçois une meule que, les yeux bandés, un petit âne fait tourner inlassablement. Autour du puits familial, l'on commère, et j'ai songé au puits de notre toute petite enfance, avant la mort prématurée de papa, au village Saint-Laurent. Vaste basse-cour et, au-delà, je vois des enclos faits de simples rondins, c'est pour leur écurie et leur porcherie.

Je traverse une autre cour, il y en a trois et, enfin, je vois leur vieille maison, basse, longue. J'entre. Le plancher chez les Soun n'est pas de terre battue mais de ciment, signe de richesse. Aux murs, de la tapisserie blanche avec des fleurs bleues. Aux fenêtres, pas de ce papier parcheminé, non, de la vraie vitre. Un luxe envié des voisins. Les meubles ? Que des coffres vernis, quelques chaises, des pots de faïence, des miroirs, des tableaux et une grande horloge.

Ces Soun engagent des ouvriers agricoles qui ne gardent pour eux que la moitié du grain récolté. Usage courant ici. J'ai vu une charrue… en bois ! Antiquité disparue chez nous depuis belle lurette. Il y a sarclage et puis fauchage et enfin le battage. Revenu : $500. Pour tenir leur rang, ils font voir des habits de soie, usés, des fourrures l'hiver, usées. Les cinq brus Soun portent fièrement des bagues, des bracelets en or. En or rouge ou jaune et parfois… en toc !

Comme dans nos parages, ici aussi certains enfants vont étudier au loin, à l'université de Pékin par exemple, et ça coûte cher d'entretien. Hélas, certains membres de cette vaste famille sont des adeptes, oui, de l'opium, qui est un gaspillage honteux. Ils sont rejetés, bannis bien souvent. Il arrive aussi que des parents païens s'offrent une deuxième épouse, une « plus fraîche » ! Ce sont des dépenses de plus. Je soulève ici un peu « le voile de la vie » par ici.

Avant d'oublier, je vous ai choisi des photos nouvelles, dont l'une – trop impressionnante ? – s'intitule « Le tonnerre ». Ce Leikong au centre est cet effrayant robuste dieu batteur de tambours chinois, tu en vends à ton magasin, de ces tambours, je crois. Tu vois donc ce grimaçant Leikong entouré de flammes, c'est l'image de l'Orage.

Ces Soun, des baptisés, me faisaient mander pour secourir des voisins et amis, les Nen Koo. Moins riches et très éprouvés. Leur fils aîné et son épouse sont morts il y a peu, un troisième fils Nen Koo étudie à notre séminaire et leur quatrième, 8 ans, fréquente notre école. Le cinquième garçon est né quand la maman Nen Koo a eu 51 ans, c'est leur trésor ! Toutes les filles Nen Koo sont bien mariées, sauf la troisième, Fong, qui a été aspirante à la vie religieuse à notre couvent. Elle a été retirée et ramenée ici car elle était tombée gravement malade. On compte sur moi, elle en est « à l'article de la mort », comme on dit.

Nous attendons le jour pour aller chez les Nen Koo car la nuit, c'est les brigands partout, je vous l'ai dit. Je pars donc au matin à cheval avec le Saint Viatique. Mon conducteur a quatre milles à faire. Quand nous arrivons, on me dit que Fong a pris du mieux subitement. Ils sont tous soulagés. Je me rends au chevet de Fong qui me confie qu'elle aimerait prononcer ses vœux de chasteté puisqu'elle allait le faire avant sa terrible maladie. Je lui dis qu'elle vivra.

J'étais hébergé pour la nuit chez un oncle des Nen Koo et il m'a fallu escalader un mur de terre battue pour m'y ren-

dre. J'étais donc « en attente » pour la nuit chez ce voisin. Me vois-tu escalader ce mur, redevenant le gamin de nos champs qui sautait des clôtures pour piquer des pommes ? En tout cas, le printemps était très chaud cette année, j'en ai sué un coup et voilà que l'oncle m'offrait un k'ang bien chauffé. Aïe ! On vient frapper à ma porte au bout d'une heure : « Vite, vite, venez, Fong est retombée, une grave crise, venez vite ! » Il est minuit, j'y cours. Le mur encore ! Là, une musique triste de gémissements, des râles dans la maison de Fong. Comme on me le demande, j'installe mon petit autel portatif et je dis une messe… de minuit ! Ma jeune mourante a communié dans son k'ang. Une longue nuit de veille, j'ai récité des prières, lu mon bréviaire, récité mon chapelet, « tout neuf » ; faut remercier maman de ma part pour son cadeau.

l'enfant lève les yeux, grand-maman Albina sourit et ferme les siens, lui fait signe de continuer :

À l'aube, les Chinois des alentours chantaient des hymnes dans leur langue quand l'agonisante soudain poussa un formidable cri : « Yésu ! » Elle expira. Selon la coutume, ce furent aussitôt les préparatifs pour l'ensevelissement. On ne pratique pas l'embaumement ici. On sortit les habits de mort, blancs comme vous savez en Chine. Beaux costumes ouatés qu'on lui confectionnait depuis le début de sa maladie. Une vieille tante donna le signal des pleurs, coutume encore.

Le père de Fong surgit et cria : « Non ! Assez, assez ! Fong la chanceuse est au ciel maintenant ! » Étrange silence qui ne dura pas.

Ce furent les funérailles avec son cercueil très décoré depuis longtemps et que Fong avait pu admirer de son vivant. Ce jeudi matin, petite foule de cinq cents personnes, car les élèves des écoles y étaient. J'ai prié le maire, M. Soun lui-même, de lire l'épître et aussi l'Évangile, il parle un chinois si mélodieux que c'est une musique de l'entendre. Comme tous les propriétaires en Chine, les Soun ont leur propre cimetière. À un mille du village. Donc, procession aux lanternes avec prières et chants encore tout le long du chemin, un chemin en creux comme on en voit si souvent par ici, bordé de très hautes tiges. Rendus sur la colline mortuaire, nouveau signal et pleurs. À la toute fin, silence, et tous me regardaient, alors j'ai récité un De Profundis *et puis j'ai entonné avec ma mauvaise voix un* Magnificat, *seuls les écoliers ont répondu en chœur.*

Fatigué par ma nuit blanche, dans le chariot du retour et malgré les cahots, eh bien, j'ai piqué un somme, oui, j'ai dormi comme une souche, j'ai vite cogné des clous – j'aime sortir nos expressions canayennes. *Oui, comme votre bébé « à cœur de jour » – je l'imagine – j'ai dormi à poings fermés.*

Je m'ennuie de vous tous, union de prières,

Ton grand frère, Ernest

P.-S. : Je me demande si tu es revenu de ton long voyage, si oui, écris-moi vite.

l'enfant replie la lettre, les mains refermées sur des pelotes de laine sa petite sœur dort, couchée sur le tapis du salon, des rayons de soleil à travers les verrières des fenêtres lui font des barres colorées dans le visage, sa grand-mère a les yeux au plafond

l'enfant lui dit : « C'est tout, c'est fini. »

elle lui fait un mince sourire : « Dire qu'il aurait pu être curé pas loin, je pourrais le visiter chaque semaine… »

25

l'enfant ne lit plus les lettres de Chine puisque son père, le lecteur attitré, est revenu de voyage, au fond il préfère écouter lire, il n'a plus à articuler les mots rares et puis son papa fait des pauses pour commenter, parfois ses explications lui sont utiles

l'été qui débute s'annonce beau et chaud

son père a aidé à poser les moustiquaires et, avant, à enlever les fenêtres d'hiver, sa mère échevelée et en sueur: « Il était temps, ce maudit voyage inutile nous a mis en retard! »

l'enfant a participé au lavage des vitres et la petite Marielle s'y est mise, nuisant, retardant l'ouvrage au fond, toutes les saletés de l'hiver surnageaient dans le grand bain d'eau chaude, l'enfant s'activait: amusant, tous ces linges à tordre et puis à rassembler pour l'essorage, ça brille

ce soir-là, le magasin fermé, le père a tout rangé sur des tablettes dans le hangar, autre corvée annuelle à laquelle l'enfant collabore aussi, il aime tant entendre: « Merci de ton aide, mon p'tit gars, c'est bien utile… »

le notaire voisin: « As-tu hâte, mon p'tit bonhomme, de découvrir *ta* classe, *ton* école, *tes* nouveaux amis? »

l'école, ce mot

il sent, devine, sait que, septembre venu, tout va changer dans sa vie, une anxiété vague l'envahit quand on lui en parle, et il n'aime pas ça, il préfère sa vie, sa liberté

il y a encore pire : hier, son père fumait sa pipe en lisant son journal sur le balcon et le voisin notaire, toujours en chic complet gris, est venu lui montrer des papiers officiels tamponnés de cire rouge :

« Tout va bien, j'ai consulté, regardez : si vous y tenez, vous l'auriez votre permis de creuser, lisez, c'est tout autorisé. »

ce matin, le garçon supplie sa mère, qui équeute des fraises sur la longue galerie donnant sur la cour : « Amène-moi au port, maman, tu vas voir comme c'est beau le fleuve, tu pourras pêcher avec la longue ligne de papa.

– Ah non, pas le temps, j'ai une fricassée au feu, je regrette, et puis décolle un peu, va donc jouer comme tous les enfants normaux de la rue avec tes petits soldats, tes flottes de voitures… »

l'enfant boude sans se priver de gober des fraises : « C'est quoi au juste, maman, cette idée de faire creuser la cave ? »

d'abord la mère se tait puis elle finit par grommeler : « Un rêve de fou, une autre lubie de mon pauvre petit mari, oublie ça, mon garçon… »

quand Desbarrats s'amène avec sa grande boîte de soldats, il décide d'aller jouer en avant sur le balcon, à entendre le trafic de la rue il a davantage l'impression d'être au cœur de la vraie vie

ils installent sur deux fronts, face à face, les canons, les tanks, les camions bâchés, toutes leurs troupes d'artilleurs, assis sur le plancher Desbarrats pousse un cri de guerre : « Feu à volonté ! »

« Non, *mei fa tseu*, crie le gamin, ça veut dire *impossible* en chinois, et puis c'est à mon tour de déclencher la guerre mais je veux que tu voies ça d'abord. »

il sort des photos envoyées de Chine : la vaste poterie, un maréchal-ferrant, un âne, le cordonnier ambulant, la caravane du désert de Gobi

« Je voudrais bien aller en Chine. »

son ami rit, dit : « *Mei fa tseu.* »

« À l'assaut ! » gueule Desbarrats, s'emparant d'une minimoto

« *Houo-tch'ö-t'eou*, c'est le mot pour dire *motocyclette* », dit l'enfant

« On joue ou on joue pas ? » se plaint son copain

« Tu sais, mon oncle là-bas, il écrit un dictionnaire, O.K. ? Ça t'en bouche un coin, ça, hein ? »

le soir venu, il est si content, il y est, il ne sait trop comment il a réussi à se rendre au port, il s'aperçoit qu'il n'a pas pris sa canne aux dragons gravés

à sa ceinture de cuirette, ses deux revolvers et les étuis, sa fronde aussi, son épée de bois, petite lumière dans la tour de l'horloge mais il n'y a plus d'aiguilles au cadran !

le vent souffle fort sur le fleuve, malgré la noirceur l'enfant distingue un long yacht tout blanc dont les voiles se gonflent démesurément, sur la grande île d'en face plein de silhouettes sombres qui agitent des torches comme pour découvrir quelque chose ou quelqu'un, faiblement il entend des rires, des cris, des appels

ces gens sont-ils tous sur sa piste ? des policiers ?

un très gros goéland vient se poser à ses pieds, le regarde fixement, ses yeux comme des lumières vives dans cette nuit il se sent mal, il n'a pas le droit d'être là, il le sait

soudain : « Tit-gars ! Veux-tu venir faire un tour avec moi, j'ai fini ma journée, monte, c'est gratis. »

juste derrière lui, une calèche et, haut perché sur son banc, tenant les guides d'un cheval au roux lumineux, un jeune homme qui lui sourit : « Je dois rapporter mon cheval à l'écurie du *boss*, t'embarques-t-y ? »

le jeune calèchier rieur est vêtu d'un habit de coton blanc, il porte un immense chapeau de paille, mâchouille une tige de blé

« C'est où, ça, votre écurie ? C'est loin ? » questionne le gamin qui grimpe volontiers à bord

« Non, pas bien loin, derrière le Chinatown. »

le jeune cocher allume une cigarette, l'enfant, confortablement installé sur une banquette de cuir noir, se sent bien, l'air du soir est doux, si Desbarrats le voyait, lui en jeune touriste riche !

« Hue, hue donc ! »

au trot, le cheval traverse la rue du marché Bonsecours puis de l'hôtel de ville, le voilà bientôt dans ce décor qui lui est familier, des Chinois filent d'un lieu à l'autre, des clients éméchés sortent des restaurants, interpellations, cris de reconnaissance, certains lui font des petits saluts auxquels il répond volontiers, il s'imagine en Chine un soir de fête, il sourit

« On m'a dit de te faire descendre ici », lui annonce son conducteur qui tire sur les guides, « Woh ! Woh bec ! »

l'enfant descend docilement et aperçoit cette grande fille toujours grimée, cette Lee Lee, accrochée au bras d'un petit vieillard chinois cacochyme

et puis qui ? ! son père, paquets sous les bras, avec ce gros nez de M. Wong, il découvre aussi l'oncle cantinier dans son bel habit de noces, ils ont tous un verre à la main

« Vive le marié ! » gueulent des badauds

de la cave-au-fléau sortent quatre joyeux drilles, vieux bonshommes qui titubent, pipe au bec, au milieu de la rue un grand voyou chinois joue d'une étrange lyre ou harpe, très semblable à celles du magasin de son père

deux autres gaillards, torse nu, cognent sur des tambours ornés de dragons crachant du feu, au milieu d'un trottoir, sur un petit trône d'ébène, une grande fille masquée d'un loup rouge chante très fort, très haut, avec une stridente voix de crécelle

elle descend de son pavois, fonce vers la calèche, un lampion à la main, y grimpe, embrasse le jeune cocher, ils s'en vont au grand galop, un long dragon de guenille rouge apparaît !

toute cette musique lui donne envie de danser

son père le voit maintenant, lui fait signe d'approcher, lui indique deux chaises d'osier sous un auvent décoré de lanternes chinoises

qui est là ?

sa mère en kimono bleu, un casseau de fraises à la main, à ses côtés sa grand-mère en robe de chambre qui lui ouvre les bras : « Où t'en allais-tu en pleine nuit, mon p'tit pape, encore ton somnambulisme ? Viens, on va rentrer. »

elle le guide, le tient fermement par les épaules, les lumières, la musique, tout s'éteint autour de lui, le dragon rouge fuit au bout de la rue, il rentre, voit sa chambre, son lit

dans le couloir, sa mère mal réveillée : « Mon Dieu, qu'est-ce qui se passe ? »

Mémeille: « C'est ton p'tit gars, il marchait sur le trottoir. Comme je n'avais pas sommeil – il fait si chaud –, je suis sortie prendre la fraîche et je l'ai vu… »

26

beau lundi matin de juillet

l'enfant ne se tient plus de joie, son père a consenti à l'amener avec lui en bas de la ville

il a les bras chargés de sacs, car il souhaite revendre certains bibelots

ses grandes sœurs, maintenant en vacances scolaires, ont demandé d'y aller aussi mais le père a refusé: « Pas question, c'est non, tous ces débardeurs, ces matelots en goguette…

– Le p'tit frère, lui, aucun danger? proteste Marcelle

– Ces gaillards ne s'intéressent qu'aux femelles! » dit le papa

Lucille a eu un bon bulletin et elle monte en cinquième année, sa cadette, Marcelle, monte en troisième année chez les sœurs de Sainte-Croix

l'enfant ouvre son petit banc de tôle noire, jette sa ligne à l'eau, la tient entre ses genoux, ce matin il a besoin de ses mains

ce matin, heureuse surprise, il a reçu une lettre de Chine à son nom, oui, adressée à lui, de Chine, c'est la première fois, l'oncle magique s'est donné la peine de lui composer une lettre, rien que pour lui

l'enfant serre sa canne entre ses genoux, sort de sa poche la précieuse missive, la déplie avec soin, la lit:

Szépingkai,

Mon cher neveu, si curieux de la Chine,

Au bout des lettres de mon frère, que j'aime voir tes dessins, parfois tes questions. Quel est ce gros travail, ce gros ouvrage sur lequel je ne cesse de « piocher » ? Ici, on a baptisé mon lexique encore inédit la « R. I. », qui veut dire « romanisation interdialectique ». Ce « piochage » amènerait à égaliser les dialectes divers en mandarin, une sorte de « latinisation », quoi, ma *romanisation. Pas facile, mon cher enfant, et je trime dur en voulant mettre nos lettres sur les caractères chinois, caractères ou, si tu veux, images, ou pictogrammes. Ça avance, déjà un bulletin publié à Shanghai pour des jeunes étudiants diffuse, avec un grand succès me dit-on, mes premiers essais. J'en suis très content. Dialectes : « village » se dira* « kao cha t'ong » *mais aussi* « k'ang-ling ». *Avec ma R. I., il y aura donc simplification, égalisation, mon choix d'un seul mot.*

l'enfant a déjà hâte de noter ces mots dans son cahier

Tu vas saisir les difficultés : la langue chinoise nécessite au moins quatre tons, parfois jusqu'à huit. Oui, mon garçon, il faut avoir de l'oreille en Chine, un bon sens de la musicalité pour comprendre. Pourtant, c'est assez simple au fond. Il y a BREF *ou* LONG *et aussi* EN BAISSANT *ou* EN HAUSSANT. *Un mot change de sens selon ces quatre sons, ou tons.*

« Tch'eou », *par exemple, peut vouloir dire à la fois « tirer » et « ennemi », c'est selon que tu le dis bref ou bien en traînant : Tch'ooooo.* « Tch'eou » *signifie aussi « regarder » et « puer », selon que tu hausses ou baisses le ton. Attention, tu peux dire « puer » quand tu veux dire « regarder » ! Vois-tu bien le danger de l'imbroglio ? Tu veux dire le mot « nom » ?*

C'est « wong yin » *mais tu devras hausser le ton. Bien compris ? Tiens, sais-tu qu'en anglais le son « eur » semble absolument impossible, le Britannique dira « lors » ou « lour », mais pas ce « leur ». Affaire d'oreille ça aussi ?*

Récemment, on m'a taxé, à Shanghai, de « savant linguiste », hum, disons plutôt un simple « autodidacte » qui aime avec passion les dictionnaires, cher enfant.

Je t'ai mis encore des photos, ton père me dit que tu les collectionnes. Une te fait voir des voiliers sur la côte chinoise ; admire toutes ces bandes de toiles à l'horizontale, curieux, non ? J'ai mis un jeu de croquet, c'est aimé par ici. Aussi, photo d'une patinoire qui fut faite sur le terrain de croquet l'hiver dernier.

Ce fut toute une découverte, nos Chinois n'ayant jamais vu une paire de patins ! Leur grande excitation en les initiant à ce sport qui nous est si familier à nous ! Des patins à glace, tu en as une paire, j'en suis certain.

Mis aussi une photo d'un affreux diable bouddhique tout grimaçant, ton père m'a dit que tu estimais fort ce genre d'images mais gare aux cauchemars, cher petit neveu ! Je t'ai mis aussi un pagodon, c'est joli, non ? Tu seras étonné par la photo montrant des logis creusés à même une falaise, en Mongolie voisine. Ces gens, tu vois, vivent comme au temps des grottes. Enfin, je t'ai envoyé une photo de ton oncle exilé, moi devant un orgue de mon invention. Sans me vanter, je peux dire que mes petits orgues sont très appréciés. J'oubliais… Ai glissé aussi une photo d'une caravane de… chameaux ! Oui, il y en a, à Lintung, au nord.

Loin de ces grottes, si je te parlais des maisons d'ici, j'ai su que tu aimais jouer avec de la boue dans ta cour. Elles sont toutes en terre, tu vois, c'est simple : de la terre et de l'eau, comme à la création de l'homme dans l'Ancien Testament.

On y mêle de la paille hachée pour plus de consistance en séchant. Avec ce « hachis », on élève des murs de pas moins de deux ou trois pieds de largeur. Une maison ici fait 30 pieds de longueur par une vingtaine en largeur et il y aura au moins trois pièces de 18 par 10. On prévoit des ouvertures, pour la porte centrale et pour les fenêtres.

Les châssis des fenêtres se compartimentent en carreaux de quatre pouces. Pas de vitres par ici ! Non, que du gros papier à envelopper enduit d'huile. Séchées, ces fausses vitres sont luisantes, bonnes surtout à empêcher le froid d'entrer et donnant un peu de lumière quand on est proches. La couverture est de terre elle aussi. Il y a une charpente – du bouleau, le plus souvent – sur laquelle on étendra une natte de roseau (ou de paille), recouverte de deux ou trois pouces de terre. Toujours de la terre !

Pour éviter les crevasses lors du séchage au soleil, on ajoute du gros sel (salpêtre) dans cette boue du toit. Tout ça, comme tu vois, ne coûte pas cher, la Mandchourie est un pays si pauvre actuellement ! L'intérieur ? La pièce centrale est la cuisine mais aussi un peu un hangar, utile pour ranger tout, outils comme ustensiles. Tu y entres et souvent de la vapeur, une buée dense, s'élève des marmites. On y trouve une jarre immense, c'est pour l'eau, pas d'aqueduc, hélas. De chaque côté de ce réservoir géant, des fours en terre cuite, des briques sur lesquelles reposent de grands chaudrons. De là tant de vapeur.

Le combustible ? Des tiges de sorgho, semblables à nos tiges de blé d'Inde. Suis-moi bien, cher neveu, le long du passage, de petites estrades de deux pieds de haut, avec nattes de jonc, ça mesure environ six pieds de long pour les k'ang, les lits. Rangés les uns contre les autres, on s'y installe à cinq ou six et pas juste la nuit pour dormir, le jour aussi pour des travaux divers (reprisage, couture). C'est chaud en hiver car il s'agit de lits de maçonnerie, tu sais que la brique garde bien la chaleur, par des tuyaux on profite de celle émanant des fours.

On y boit sans cesse du thé, qui abonde en Chine, ton papa te le dirait, lui qui en offre de toutes les variétés à son magasin. Cependant, leur thé domestique (j'en sais quelque chose) est de la pire qualité ! Trop cher, le bon. On gagne ici la valeur de cinq ou six sous canadiens par jour, il ne faut pas l'oublier ! Chez les plus riches, tu verrais des bibelots. Encore comme ceux du magasin paternel !

Vas-tu m'envoyer un dessin coloré de chameaux ou de ce diable grimaçant ?

Union de prières, mon enfant,
Ton oncle en Chine

l'enfant lève le visage au beau soleil et puis lit l'heure à l'horloge du quai, il guette le retour du père, il n'a pas pris un seul poisson mais il a fait mieux, il a voyagé en Chine, un cargo passe devant lui, immense, rouge et noir, l'enfant sort une pomme de son sac, la croque

il est heureux

ce drôle de type à cheveux blancs, toujours dans son léger coupe-vent bleu acier, lui apparaît encore, il se tient toujours loin, lui sourit, semble l'observer, l'enfant aime croire qu'il est peut-être un agent de police habillé en civil et qui a pour tâche de surveiller les malfrats, de protéger les enfants comme lui

c'est un vieux malin, car il disparaît subitement, réapparaît plus loin, ailleurs

27

maudite vieillesse

encore une fois, ce midi, le vieil homme s'amène à sa nouvelle piscine en ayant oublié le sac de toile noir avec cadenas, maillot, serviette, lunettes, casque, bouchons : chaque fois il doit retourner chez lui en vitesse, enragé, et revenir dare-dare à l'hôtel, hall, escalier, couloir, case de vestiaire

et puis il va se jeter à l'eau, si fâché contre sa pauvre mémoire

Rolande, sa chère « Mma », le console : « Ta tête est trop remplie, ça déborde, tu lis tant, ta mémoire devient sélective, elle trie, elle fait des choix, efface l'inutile, garde l'important, non ? »

mensonge pieux, mais elle l'aime tant

hier encore, le soir, devant la télé, il a cherché certains noms, des propres, importants, s'est lamenté

disparitions, un fromage de gruyère, saloperie

maudite vieillesse

dimanche, visite de Jacques, jeune frère de Rolande, prof de chimie retraité, très curieux du passé d'ici, qui, sans cesse, questionne le vieil homme et s'exclame : « Quelle mémoire prodigieuse tu as ! », s'il savait…

tous ces trous, ces « blancs », très embêtant

il a vu soudain à la télé un gras bouddha dans un banal décor de feuilleton : « Ah, Rolande ! regarde, tout à fait le bouddha de porcelaine que mon père gardait près de la fournaise, derrière son restaurant. »

enfant, il n'en revenait pas : leur « bon Dieu », si gras, tout nu, bedonnant, hilare, si éloigné du doloriste et sanguinolent Christ en croix

ça y est, Rolande qui sourit, la digue aux souvenirs, barrière levée, grande ouverte : il lui a raconté qu'il se souvient d'un jour de 1935, son père tout content qui ose dire à l'enfant : « J'ai réussi à revendre la cithare chinoise du hangar, un amateur qui y tenait ! », le petit garçon en avait été si peiné, se demandant si son père n'allait pas écouler, petit à petit, tout le stock de chinoiseries remisé dans leur *shed,* les jolis tambourins, les flûtes, les kimonos, les jolis parasols vernis

malheur, ce serait alors la fin de ses processions chinoises dans la ruelle

il nage dans la piscine extérieure, heureux, le soleil luit, c'est tellement mieux qu'à l'intérieur, deux jeunes femmes très blondes sirotent une liqueur sous un parasol, une lui dit : « Je crois vous reconnaître. On vous voyait pas, il y a deux ou trois ans, à la télé, le matin ? »

il dit : « Ça se peut, c'était dans une autre vie... » et il sort, va à la douche, *obligatoire avant et après*, c'est écrit sur un panneau

28

le vieil homme a cette chance, une fidèle amie, une confidente, une âme sœur, dit le cliché, c'est pourtant un fait, cette femme lui est précieuse, il la nomme « Mma », signifiant « ma meilleure amie »

cette Rolande habite pas loin, dans un ancien couvent de nonnes transformé en coquet édifice de briques rouges, désormais elle est plus souvent chez son ami le vieil homme qu'à son édifice à condos pour retraités, de ceux que l'on dit « en moyens »

le vieil homme y allait avec un bloc à dessiner, s'amusait à faire des croquis avec des feutres de couleur, esquisses rapides parfois caricaturales

au début, Rolande, comme d'autres, refusait de se faire « croquer », ils causaient dans le grand kiosque du jardin, elle aussi était du métier, scripte et puis réalisatrice, à la fin, produisant des documentaires et, ainsi, elle avait connu plusieurs reporters de ses amis à lui

elle évoquait « la bonne période » de sa vie, la télé dite « dramatique », ainsi ils avaient des tas de souvenirs communs à partager, elle badinait, se moquant : « Le bon vieux temps, le "c'était tellement mieux avant", bien entendu… »

ils sont donc devenus de grands amis, très bavards, ils devinaient que, tôt ou tard, ils feraient vie commune, ils ne sont pas pressés, Rolande, qui n'a rien d'une femme d'intérieur, s'étonne du fouillis chez lui et, malgré ses protestations, elle fait un peu de rangement, un peu de ménage : « Écoute, on peut pas bien vivre dans un tel barda ! »

en riant, elle l'a jugé « bohémien paresseux », constatant vite qu'il n'accordait aucune attention à la propreté dans cette vieille maison du bord du lac qu'avait achetée Rachel

elle a enseigné au veuf récalcitrant, petit à petit, un ordre minimal, il s'est moqué chaque fois qu'elle lui mettait dans les mains un balai, une brosse, un torchon, une serpillière ou – là il rouspétait carrément – l'aspirateur

maintenant il est content d'avoir un peu appris, il s'y retrouve mieux dans ses archives d'un demi-siècle, surtout qu'elle l'a aidé à classer toutes ces lettres retrouvées de l'oncle exilé

cette Mma lui est vite devenue indispensable... pour l'amour physique aussi, et, au lit, ils découvrent des sentiments neufs, très forts

lui qui croyait en avoir terminé avec l'activité sexuelle y a vite repris goût, il se surprend à constater que malgré le peu de semence le plaisir du couple n'en est pas moindre

il lui a juré de ne plus jamais dire « maudite vieillesse »

excepté...

excepté quand il a chuté encore, samedi matin, en nettoyant le rivage des branches tombées, une glissade cruelle sur le gazon humide de pluie, la tête cognant un rocher, il s'est relevé lentement, le cul trempé de boue, s'est déculotté sur la galerie soudain, les lettres de Chine lui sont revenues ! il a songé à cette boue toujours partout, pour les murs, les fondations, les toits des maisons en Mandchourie, il se souvenait de la lettre de Chine adressée à lui seul

c'est Rolande qui lui a donné l'adresse d'une nouvelle piscine dans cet autre hôtel du voisinage, le vieil homme s'y est abonné, c'est à dix minutes en voiture

l'endroit se spécialise en soins du corps, à sa première baignade, l'impression d'adhérer à une communauté de malades, songeant à ces gens qui vont prendre leurs « eaux », style européen, vu par exemple dans le *8½* de Fellini, et, hier, à la télé, un bonimenteur sur Beethoven a lancé : « Le grand musicien, très régulièrement, fréquentait les spas de son époque. »

devrait-il recourir aux massages ? à tout le reste ? il n'a jamais trop aimé ces attentions au corps, un inconscient puritanisme ou un refus de ces cajoleries très à la mode qu'il juge vaines

son cadenas à la main, il est toujours intrigué en voyant ce couloir rempli de « soignantes » en sarraus immaculés, ces clients en robes de chambre blanches, tous ces locaux de type « clinique », ces affiches d'acupuncture, les illustrations en couleurs des zones du pied par exemple

hier, baignade, petit escalier qui descend dans le bain et une marche de mosaïques un peu graisseuse, hop ! nouvelle chute, un baigneur inquiet qui vient vite vers lui

sa honte, coude éraflé, hanche douloureuse

maudite vieillesse ?

debout dans l'eau, « gymnastiquant » tout en mâchouillant une gomme, un fort gaillard au long maillot turquoise lui sourit : « Oui, faut faire très attention, ça glisse des fois ! »

dès sa première visite, la gérante, fière, lui a fait voir dans un joli jardin « notre autre piscine, nous faisons déjà chauffer l'eau, dans très peu de temps, on l'ouvre »

ici le bain est moins large qu'à l'hôtel en rénovation et il n'y a pas d'allée réservée mais l'eau y est plus chaude, et un plus grand nombre de plantes vertes, quelques arbustes même, agrémentent les lieux, de jolis carreaux de céramique tout autour, un bar de type « polynésien » dans un coin, tables rondes, une sorte de solarium à larges baies vitrées, en éventail, transats confortables, tout dégage un certain luxe

ces murs de lumière vive donnent sur les collines environnantes

le vieil homme s'allonge, ayant apporté, en cas de trop grande affluence, quelques lettres, peu de baigneurs, mais pourtant vive envie d'en lire une après avoir commandé une eau Perrier :

La fin de notre Szépingkai,
Mon cher petit frère,
Je suis toujours au Saguenay mais j'ai besoin de te parler de ma patrie adoptive perdue à jamais. Je viens d'avoir des nouvelles fraîches de Szépingkai, pas réconfortantes du tout. Est-ce que je file un mauvais coton ou bien j'ai raison de songer que j'ai peut-être perdu ma vie ?

Gaspillé vainement ma jeunesse, tout ce temps là-bas, deux longues décennies, à me forger naïvement un rêve. Un rêve qui ne se réalisera jamais ?

le vieil homme songe à son projet d'une affiche du temps « d'avant Rolande » : *Perdu : ma vie. Récompense.*

Une dernière folie : imaginant l'arrivée de tant de Russes collaborant avec les révoltés chinois, je songeais, cette fois avec l'alphabet cyrillique russe, à répandre davantage mon ouvrage. Ma R. I., estimée de tous ! Hélas, en quittant si vite, j'ai été forcé d'abandonner mes notes, mes cahiers, tout mon travail. Les communistes vont s'en emparer ? Je le suppose. Est-ce que le jeune missionnaire de jadis, devenu aumônier des bonnes sœurs, malade, est en train de broyer du noir ? Ou de s'ouvrir enfin les yeux ?

Tiens-toi bien, mon petit frère : j'en étais arrivé à penser que tous ces soldats Chinois communistes, la guerre terminée, pourraient devenir des alliés ! Oui, ces libérateurs de leur patrie bafouée, colonisée, dominée, abusée, je les imaginais, naïvement, s'associant à nous ! Impossible rêve car il y a l'athéisme furibond de ces militants qui s'apprêtent même à jeter aux orties leurs vieilles croyances religieuses d'antan. Il n'y a plus aucune place ni pour Jésus, ni pour Bouddha ou Confucius, ou qui que ce soit. Ni pour la déesse « Kouan yin », *ni pour le dieu* « Lao Ye ». *Les âmes des ancêtres ? Foutaises. Nos 225 000 convertis, c'est foutu ? Certes, ils sont 40 millions en Mandchourie et le communisme fleurit, alors les gentils nationalistes du généralissime Tchang Kaï-chek, foutus aussi, ils se font chasser partout.*

Seras-tu scandalisé si je te disais que je comprends cette terrible révolution, absolument ? Je suis triste car je me sens un « bon à rien » ; tu comprendras que, par exemple, mon invention d'un orgue, même primitif, appréciée en Mandchourie, est nulle ici au Saguenay ! Que j'ai aimé ce pays mandchou, oh oui ! Aussi je te résume les (mauvaises) nouvelles, la fin de notre Szépingkai. Édouard Gilbert m'écrit : « Ceux de Szépingkai après l'arrivée des Américains souhaitaient repartir vers leurs missions et les dessertes, mais éclatait cette guerre entre nationalistes et communistes, une nouvelle terreur. Les obus et les balles meurtrières sifflaient de nouveau au-dessus des têtes de nos missionnaires restés dans leurs soutanes déchirées, en désarroi total. »

Par exemple, Fakou, la ville du K'ang P'ing, est en feu. Les visites se font à la pointe des revolvers et c'est le pillage partout. Propager notre religion là-bas est chose impossible désormais. Une vingtaine d'enfants seulement fréquentent encore mon école. Ma mission de Li-ts'un, pillée de fond en comble. Ma bibliothèque, détruite aussi. Nous voilà tous « pauvres comme Job ». Comme lors de l'autre guerre, il y a un an seulement, sans cesse des consuls britanniques nous enjoignent de fuir, et vite !

Pris entre ces deux feux, nos gens demandent un peu de riz, de farine, de charbon. Résultat : de vagues promesses et puis… rien ! Qui nous viendra en aide, nous sommes désespérés. Devrons-nous abandonner le travail de tant de décennies ? Je le crains. Mon petit frère, imagine un peu dans quel état d'esprit je me trouve, ici, dans ce couvent tranquille. Je prie pour eux là-bas dans ma patrie d'adoption abandonnée.

Union de prières,

Ton grand frère impuissant

P.-S. : une photo pour ton petit pêcheur du port devenu un collégien sérieux qui ne fait plus de dessins à la craie de cire : la Grande Muraille de Chine en carte postale, un site grandiose que je n'ai jamais pu visiter

nageant maintenant dans cette jolie piscine à l'eau chaude, le vieil homme se souvient qu'à cette époque il n'éprouvait plus guère d'intérêt pour l'exilé fameux, célèbre, devenu simple aumônier dans un couvent confortable, bien finie la hâte fébrile de le lire comme quand il était un candide gamin avec sa caboche pleine de projets d'expéditions aventureuses

il regrette encore de n'avoir pas su convaincre sa Rachel d'aller voir, par exemple, cette Grande Muraille, et tout le reste… Rolande dirait-elle « oui » ?

il est tard et il est vieux

il a souvent voulu aller en Mandchourie, pour voir s'il n'y avait pas quelques ruines, chétifs témoins de l'activité du grand frère de son papa

en s'en allant, il n'arrive pas à ouvrir le boîtier minuscule où il remise ses bouchons, il marche vers le bain à remous, au faux corail rosé, où un énorme Chinois se baigne avec l'épouse et sa mère, le vieil homme se penche, lui montre le petit boîtier récalcitrant, s'explique-t-il bien ? le grand Chinois rit, c'est l'épouse qui s'empare du boîtier, n'arrive pas à l'ouvrir, rires encore, la belle-mère prend la relève, efforts inutiles, nouveaux rires

il se souvient alors de l'oncle racontant les rires perpétuels des Chinois, le vieil homme remercie pour les essais, s'en va, petits saluts

il découvre un bout de scotch qui bloquait le couvercle du boîtier, ouvre et y met ses bouchons

il entend que l'on chante à tue-tête dans la salle à manger voisine : « C'est à boire, à boire, à boire… »

dans sa voiture, il songe : où a-t-il bien pu fourrer toutes ces photos envoyées de Chine, cette grande carte postale de la célèbre Muraille ?

mystère

29

c'est bien fini, voilà des semaines que son père ne l'amène plus « descendre en ville » en tram

il est décidé, ses sœurs viennent de se mettre au lit, tout est silence dans la maison, son père est encore allé aider son petit frère à repeindre son logement de jeune marié à deux pâtés de maisons de chez lui

l'enfant met sa chemise de marin, prend sa canne à pêche, « de noirceur, ça mord en grande », lui a déjà dit le voisin expert

il jouera au somnambule s'il se fait prendre

il marche sur la pointe des pieds dans le couloir, entend sa mère qui fait claquer son fer à repasser dans l'assiette de tôle et qui chantonne : « C'est l'Angélus, l'ange du soir… »

au coin de sa rue, des spectateurs entrent au Château pour la dernière séance, mais personne ne semble faire attention à lui, il a ramassé une vieille correspondance à terre, il a eu un peu peur, mais non, le conducteur du tram lui jette un sourire en soulevant sa casquette pour se gratter furieusement la nuque

tout va bien

arrivé au grand terminus du bas de la ville, le gamin donne cinq cents à un vagabond ivre qui joue, bien mal, de sa guimbarde, il marche vers le fleuve, les rues désertes l'impressionnent sur le port, personne, il voit les lumières filantes des autos sur le pont, loin à l'est, l'horloge de la tour offre une frêle silhouette, il y a de la brume, de rares débardeurs, loin à l'ouest, s'activent à charger un vieux camion, un cargo peint d'un jaune vif se fait vider

il ouvre son banc, jette sa ligne à l'eau, flop !

derrière lui, un train remue lentement avec des meuglements, avance, recule, avance, cherchant ses rails, dirait-on

l'eau est d'encre

s'il a du succès, il ira déposer sa prise dans la glacière en rentrant, demain matin il se lèvera tôt, dira que l'expert, le voisin, lui en a fait cadeau

le temps passe, rien, l'air se refroidit, des ombres rôdent du côté du poste des taxis, une petite peur, des jurons grossiers fusent, deux filles rient sans arrêt, deux types se pendent à leur cou, comme le train, ils avancent, reculent

il ferait mieux de rentrer, pense-t-il, les fêtards se rapprochent, « Tiens, un ange dans la *nuitte* ! » grogne une des filles, on vient vers lui en titubant

« T'es pas couché, tit-cul ? » lance un des hommes

« C'est un p'tit guenillou qu'a pus rien à manger », rigole une des filles

« Donnes-y une piastre, Gaston », lance l'autre fille

l'enfant se lève, retire sa ligne, plie son banc, prend son coffre

« On va t'amener au restaurant, viens avec nous autres, mon p'tit bonhomme... », dit un des hommes qui lui met une main au cou

le chauffeur de taxi aux cheveux roux surgit : « Laissez-le tranquille, c'est mon garçon ! »

le groupe s'éloigne

« T'es fou ou quoi, mon gars ? Le port, c'est un vrai bordel la nuit. Tes parents savent-y que t'es icitte ? demande le rouquin

– J'ai voulu vérifier une chose. On m'a menti, c'est pas vrai que ça mord en grande de noirceur… », dit l'enfant, le *taximan* lui met au creux de la main un ticket de tram :

« Rentre vite chez vous, c'est mieux pour ta santé. On te voit plus jamais le lundi, qu'est-ce qui se passe, ton père est pas malade, j'espère ?

– Mon père en a bientôt fini avec les chinoiseries, c'est ça qui se passe, m'sieur… »

l'enfant se sauve, marche à grands pas et chasse la pensée d'aller prier sous ces lampes en forme de bateaux pour que son père change d'idée, au terminus, plein de gens, une foule de criards avec des pancartes où l'enfant peut lire : *Assez des salaires de famine, on n'est pas des esclaves*

des policiers encerclent ces manifestants en colère

il réussit à se frayer un passage, assis au fond du tramway, il sort son casse-tête chinois, tire sur les lames de bois, sur un banc voisin une belle jeune femme en robe fleurie lui sourit : « À ton âge, tu devrais pas être dans ton lit à cette heure-là, toi ? »

il lui fait une grimace

au-dessus de la marquise du Château, il admire l'enseigne géante qui joue joyeusement de ses grandes lettres clignotantes, les ampoules jaunes se courent après

il marche d'un pas rapide, la vive lueur des réverbères attire plein d'éphémères, depuis longtemps, le lilas du voisin n'a plus que ses feuilles, les criquets des parterres grincent en chœur il entre, va sur la pointe des pieds vers sa chambre, le petit Raynald remue dans sa couchette de fer

il ne racontera à personne son exploit, même pas à Desbarrats, à personne, ce sera son secret, cette escapade en ville la nuit, le port, l'horloge, le pont de l'est, le fleuve, des filles et des gars saouls, oui, ce sera son secret

il se couche tout habillé, sans même faire sa prière, il s'endort trop

30

le lendemain c'était vendredi, soir où son papa travaille à son magasin, mais dix heures avaient sonné à l'horloge à pendule de la cuisine et le père n'était pas revenu, fait anormal, car il fermait à neuf heures pile, la loi, et il rentrait pas longtemps après

la mère s'en inquiète très gravement, panique à la maison, des cris d'angoisse se répercutent dans les pièces, coups de téléphone de crise aux tantes, les grandes sœurs se réveillent, lui aussi, qui tente ensuite de rassurer sa cadette, Marielle

la maman énervée a voulu alerter son cantinier de beau-frère, en vain, « Notre jeune marié est à Québec », lui a répondu la belle Rose-Alba

un voisin, le professeur, quitte sa chaise de balcon, accourt, Rose-Alba s'amène elle aussi, pas moins nerveuse que l'épouse, et voilà ce trio qui part enquêter au magasin

patatras !

ils trouveront la porte du commerce paternel entrouverte avec encore de la lumière à l'intérieur

ils entreront, pour découvrir quoi ?

l'horreur !

le père, quasi inconscient de frayeur, le teint pâle, balbutiant des borborygmes, car on l'a bâillonné, assis tout croche sur sa chaise dans l'arrière-boutique, ficelé comme un saucisson

c'est clair, il y a eu des voleurs! oui, le tiroir-caisse est vide

la belle Rose-Alba va vite tremper un linge à l'évier, le professeur défait les liens, tente de calmer le père qui tremble encore et bafouille, à bout de nerfs: « Un hold-up! mes amis, oui, un hold-up! Deux jeunes fous, farouches en diable, masqués, l'un tenait un couteau de boucher dans les mains.

– Ah! ces sinistres lascars, dit le prof, ils se multiplient ces temps-ci, les gens n'osent plus sortir le soir, toute une plaie. »

ils ont donc vidé le tiroir-caisse et filé dès après le saucissonnage, on donne au père encore paniqué un coca-cola et il tente de raconter l'attaque, bafouillant un peu moins

le trio et le père revenus à la maison, tasses de thé très chaud, à la « menthe chinoise » bien entendu, l'enfant est tout secoué d'entendre son père crier presque:

« Là, j'ai ma leçon, je ferme le maudit magasin, c'est fini, ter-mi-né, cette fois ma décision est irrévocable. »

l'enfant sait que sa vie va changer de cours, c'est très clair, et cela devient une certitude un matin, quand il voit arriver la pelle mécanique dans sa cour: « Un vrai monstre, hein, maman?

– Oui, et le monstre va creuser la cave pour l'agrandir. »

l'enfant voit vite des tas de terre s'accumuler, car ce féroce rongeur mécanique gruge le sol, et il entend parfois de la dynamite qui éclate, s'effraie avec sa mère des secousses de la maison

son père ne cesse de descendre au Chinatown, mais seul hélas ! chaque fois les bras lourdement chargés, car il va tenter de revendre ses stocks, et l'enfant regrette déjà les bonnes odeurs de café moulu du magasin quand il y allait, et il n'y aura donc plus de ces carrés de gingembre, il en raffolait

c'est bien la fin : adieu grands oiseaux blancs, trains de marchandises, cargos, débardeurs, marins, horloge, église aux petits vaisseaux, adieu mystérieux vieux surveillant au coupe-vent bleu acier, adieu tout

31

toujours traumatisé par l'attaque funeste de ce vendredi soir, le père mettait une pancarte dans sa vitrine dès le lendemain : *Magasin à vendre*

le surlendemain, adieu les chinoiseries ! un jeune homme signe les papiers de vente, l'acheteur dit vouloir ouvrir une librairie-papeterie, puisqu'il n'y en a aucune dans cette rue marchande

l'enfant est inquiet, il comprend que ce sera vraiment la fin des excursions en bas de la ville

ce mardi matin, il oublie tout : sa joie ! le rondelet facteur s'amène avec une nouvelle lettre de Chine

il trouve bien lent à son goût ce père, qui, tasse de café à la main, allume sa première pipe, et qui, enfin, enfin ! s'enfonce dans son fauteuil du boudoir, décachette la précieuse missive :

Szépingkai,

Mon petit frère aimé,

Tu m'as demandé, pour ta pipe, du tabac chinois. C'est impossible, le bon tabac, ici, sert au commerce. Pas de gaspillage chez ces pauvres gens. Je ne dispose donc que de leur « hama yen » *commun, leur « tabac à crapaud ». Leur expression pour dire un fort mauvais tabac, que nos Chinois se gardent pour leur usage personnel. Et le nôtre, hélas !*

Si, en visite chez eux, tu n'as pas ta propre pipe sur toi, pas grave, chaque maison a sa pipe « familiale », collective, quoi, qu'ils t'offrent alors volontiers… avec souvent un bel embout de jade.

Malheur si tu ignores la politesse et que tu oses la refuser ! Il ne faut pas craindre les microbes, crois-moi. Sache aussi que les coûteux thés importés que tu vends dans ton magasin (quand je pense que tu vas vendre ta boutique, quand je pense à cette attaque… il y a donc aussi des brigands dans ta rue Saint-Hubert ?…), tes thés, donc, sont sans aucun doute autrement meilleurs que le thé qu'on nous offre ici et qui donne une infâme tisane âcre, que nos gens servent quand on va les visiter. Le bon thé sert au marchandage. Si tu en laisses dans ta tasse, hop ! on le reversera dans la théière !

Économie toujours !

Tu m'as aussi parlé de certains jeunes clients qui n'ont plus guère, en 1935, le sens des bonnes manières, ni aucune courtoisie. Eh bien, je vais te parler de « l'étiquette » en Chine, tu vas voir que c'est autrement plus compliqué que chez nous. Les Chinois ne sont pas des gens « sans cérémonie », selon notre expression.

Riches ou pauvres, ils conservent des traditions de politesse ; ce n'est pas un pays de quelques centaines d'années comme le nôtre, la Chine c'est des milliers d'années et j'en admire les us et coutumes.

Retiens bien cela : le rituel en Chine est une affaire de « face ». C'est primordial, la face, ne pas la faire perdre à autrui, ni la perdre soi-même. Des exemples ? Un Chinois rencontrant un Occidental pour la première fois dira : « Nin lao, kouei sing ? »*, signifiant « Quel est votre honorable nom ? », ce* « nin » *est un vous de politesse,* « lao » *signifie et vieillard* *et monsieur.* « Kouei » *pour honorable et* « sing » *pour nom. Tu dois répondre : mon « misérable » nom est Édouard, une modestie qui va de soi par ici. Un jour, je fis une erreur de prononciation, je vous ai parlé des différents tons dans la langue chinoise, et je dis « Belgique » au lieu de « misérable », ces deux mots se disent d'un même son mais prononcé autrement. Eh bien, mon visiteur ne me corrigea pas du tout, la politesse, « ne pas faire perdre la face », tu vois ?*

Quand je lui en parlai plus tard, il me dit : « C'est qu'il y avait du monde pas loin. » Tiens, tu vas chez un voisin ou un ami, tous sont debout et restent debout. Une fois assis, tu devras les inviter au moins cinq fois à s'asseoir sinon ils resteront debout ! On m'offre une cigarette chinoise, l'hôtesse, une bru ou une fille, te l'apporte à deux mains – deux ! – par politesse, et elle te tournera le dos pour frotter l'allumette. Quand tu quittes ces gens, c'est des « au revoir », des « revenez nous voir », sans cesse, et ils vont t'accompagner jusqu'à l'entrée avec chacun maintes révérences, cela jusqu'à temps que tu sois vraiment disparu de leur vue, et on entendra ces « revenez nous voir » de très loin. C'est déconcertant, fastidieux même au début, mais on s'y habitue.

J'ai oublié une chose en parlant de funérailles dans une lettre, « le tout dernier souffle » ! Il faut faire exhaler ce souffle au défunt car au moment de la mort il l'aurait... avalé, ce « yen ki » *(en chinois). Eh oui, ce souffle avalé est tenu pour méchant, malodorant aussi (!) et peut porter malheur aux survivants. C'est le directeur des pompes funèbres, le fameux* « yin yang sien cheng », *qui, avec une barre de bois, agite le cadavre pour ce dernier souffle « malencontreusement avalé » !*

Est-ce ainsi partout ? Non. N'oublie pas qu'il y a, au moins, trois religions en Chine, toutes réunies autour du principe officiel dit « yamen », *je te parle non pas de l'âme mais des « trois âmes » ! La première :* « tch'en houen », *la supérieure, la réelle, la vraie, celle qui compte. La deuxième,* « yeou houen », *l'âme errante. Et enfin,* « chou cheou houen ling », *celle, plus banale, du cadavre même.*

Comme chez les anciens Grecs, il y a un gardien, aux portes de leurs enfers, nommé « Tch'eng Houang ». *Pour le mort, un obstacle important, ton gamin va rire encore : il y a « la montagne des poulets dorés », au bec très acéré, ces bestioles,* « kin tsi chan », *veulent se venger de tous les poulets égorgés par le défunt durant sa vie !*

À la fin du parcours infernal, c'est l'horrible village des faméliques, ou « nieou kouei tsang », *qui est celui des mendiants agressifs et qu'il faut munir pour avoir la paix ! Comme chez nous, les défunts soupçonnés d'une mauvaise conduite y goûtent : déchirage et moult autres tortures ! Leur paradis se situe à l'ouest chez les Chinois, pas comme notre « éden », ou l'est des musulmans, je te l'ai dit déjà.*

Dans chaque demeure, il y a une sorte de tableau avec les noms de tous « ses » morts, l'on doit y offrir des oboles, des encens, des lampions, cela se nomme « l'autel des ancêtres ».

Dis à ton garçon qu'il doit donc savoir bien se tenir si, comme il me l'annonce avec son dessin d'un cargo et lui à bord en petit mousse et son fanion marqué CHINE, il ose venir me visiter ! Explique-lui aussi, je le sais réticent, qu'il doit d'abord aller à l'école et pas mal longtemps.

Union de prières,

Ton grand frère l'exilé, Ernest

P.-S. : Comment va le cœur fragile de notre vieille maman ?

l'enfant est heureux, il a encore appris sur cette Chine qui le fascine, il a des mots nouveaux pour son cahier il regarde son père qui fait encore des paquets pour tenter de revendre ses chinoiseries en bas de la ville

sans lui, hélas, sans lui

sponge in other kitchen areas after minimal rinsing.

A contaminated dishcloth can house millions of bacteria after a few hours. Consider using paper towels to clean up and then throw them away immediately.

Step 4: Cutting Boards

Wash your cutting board with soap and hot water after each use.

Never allow raw meat, poultry, and fish to come in contact with other foods. Washing with only a damp cloth will not remove bacteria.

Periodically washing in a bleach solution is the best way to prevent bacteria from remaining on your cutting board.

Step 5: Cooking Meats

Cook ground beef, red meats and poultry products to a safe internal temperature. Use a meat thermometer.

Cooking food, including ground meat patties, to an internal temperature of at least 160°F (72°C) usually protects against foodborne illness.

Ground beef can be contaminated with potentially dangerous E. coli bacteria.

The US Department of Agriculture Food Safety and Inspection Service (FSIS) advises consumers to **use a meat thermometer**

FOOD SAFETY TIPS

Follow these ten steps to maintain a safe kitchen:

Step 1: Your Refrigerator

Keep your refrigerator at 40°F (4°C) or less. A temperature of 40°F or less is important because it slows the growth of most bacteria. The fewer bacteria there are, the less likely you are to get sick from them.

Step 2: Perishable Foods

Refrigerate cooked, perishable food as soon as possible within two hours after cooking. Date leftovers so they can be used within two to three days. If in doubt, throw it out!

Step 3: Kitchen Dishcloths and Sponges

Sanitize your kitchen dishcloths and sponges regularly. Wash with a solution of one teaspoon chlorine bleach to one quart water, or use a commercial sanitizing agent, following product directions.

Many cooks use dishcloths or sponges to mop up areas where they have worked with uncooked meat and then reuse the cloth or

32

l'été va s'achever, c'est vraiment terminé les excursions au port, au Chinatown – à jamais ?

et l'enfant en est inconsolable, ne plus revoir le fleuve grouillant de cargos, tous ces oiseaux blancs dans le grand ciel portuaire, ces remuants matelots si agiles et ces rudes débardeurs si forts, la belle tour de l'horloge, l'excitante animation au terminus de trams, celle, si stimulante, mystérieuse, des rues enchinoisées

accablement d'abord, puis une certaine consolation : son père entrepose dans la *shed* derrière la maison tout ce qu'il ne réussit pas à écouler chez ses anciens fournisseurs, un fameux trésor !

pouvoir jouer avec des tambours, sorte de petits tam-tams cloutés, avec des flûtes, des *la pa*, aussi avec les parasols fleuris en papier verni, les chapeaux pointus, les kimonos à dragons dorés… et quoi encore ?

toute une Chine enfermée dans son hangar, un garde-robe inouï, utile pour monter des séances théâtrales, voilà l'enfant enrichi d'un attirail qui l'émerveille, il a même déniché une sorte de pesante harpe chinoise et il aime en gratter les grosses cordes de métal

l'autre soir, il a fouillé sur la haute tablette d'un placard : une pleine grande boîte de bijoux chinois, multitude de colliers, bracelets, boucles d'oreilles, broches pendant que la cave se fait agrandir – le creusage achève et, plusieurs fois par jour, un camion entre et sort de la cour, la débarrassant de ses tas de terre –, il organise souvent des défilés dans sa ruelle en y entraînant ses petits copains, filles et garçons

encore ce jeudi matin, barrière de cour ouverte, il devient le chef d'une procession chinoise, il veut épater les voisines sur les longues galeries, attirer les badauds des alentours, mais, soudain ! rencontre inopinée du buandier chinois du coin… une certaine gêne d'abord, la troupe ralentit, tambours moins fort battus, flûtes en sourdine

le Chinois du lavoir s'est immobilisé un moment, éberlué, n'en revenant pas de ces galopins en kimonos brodés, sandales aux pieds et chapeaux coniques en paille sur le crâne

le Chinois reprend sa poche de linge à laver, sourit, puis continue sa ronde de blanchisseur zélé

la parade terminée, sa petite sœur déguisée en geisha d'occasion sert le thé « à la menthe chinoise » dans un joli service de porcelaine – une vaisselle sertie de fleurs de lotus en relief qu'elle sort des caisses du hangar – et des biscuits chinois à grignoter

l'été s'achève trop vite, hélas, le jour d'entrée à l'école se rapproche, bientôt son père se métamorphosera en restaurateur souterrain

ce vendredi matin, ravi, l'enfant observe le menuisier, M. Lorange, qui compte les planches de beau bois neuf qui embaument, quand sa mère cruelle lui annonce… la fin du bonheur : « Va vite te laver les mains, tu vas venir avec moi, nous allons aller t'acheter des crayons et des cahiers. Lundi matin, l'école ! »

il a vécu cette fin d'été de 1935 en tentant d'oublier la fatale échéance, là, il constate qu'il va lui falloir abandonner tout un pan de sa jeune vie

lui qui a perdu la « bonne grosse solide grande » main de son père, il va perdre la liberté, il pressent très bien qu'à partir de lundi il y aura un horaire strict à respecter – il a déjà vu ses sœurs –, « rester propre », obéir au son de la cloche, sans cesse se taire, docilement se mettre en rang, « prendre ses distances », s'asseoir tous les jours durant de longues heures devant un pupitre, rester sage, demeurer bien attentif aux leçons, décrypter le grand tableau d'ardoise noire

ce vendredi-là, le cœur lourd, il range la harpe chinoise, remet dans leurs caisses de métal la vaisselle de Marielle, les kimonos, les sandales, les parasols de papier verni, les chapeaux pointus, les flûtes et les tambours

il se met en route pour la nouvelle papeterie, chez Raffin, dans l'ancien magasin du père, où il choisira des crayons bien rouges, pas les jaunes, et des cahiers à couvertures bleu azur, pas d'autres, il aime la Chine, et la Chine, selon lui, c'est rouge et bleu

en revenant, il ouvre son carnet de mots, il lit : *Tchong kouo*, le pays, *houo-tch'ö-t'eou*, locomotive, *tien lu tch'ö,* motocyclette

ou « âne électrique »

33

le vieil homme écoute à la radio Charlebois qui chante : « une crisse de chute »

oui, une chute encore… en visite chez un petit-fils qui habite dans son quartier d'enfance, il veut revoir sa petite école de la rue de Gaspé et il enfourche une bicyclette, roule en toute confiance, n'est-il pas un fidèle adepte de cette populaire piste cyclable, là-haut dans ses collines ?

en ville, il y a le trafic, un livreur pressé fonce à un carrefour, rue Jarry, sa peur, une hésitation, les freins, chute, il s'étale sur un trottoir

douleurs

il y a bien pire depuis quelques semaines, toujours à l'heure de la soupe, la respiration soudainement stoppée, un effrayant manque d'air, l'étouffement total

son nouveau jeune docteur, Saint-Pierre, rencontré au retour de la visite d'une exposition dans un musée d'art populaire à Trois-Rivières, sa Rolande partie en vacances au Mexique chez une amie, il avait voulu absolument voir les céramiques d'un artiste primitif – on dit aussi « naïf » –, le prodigieux potier du dimanche qu'était devenu son père

le restaurateur avait fini par fermer son pauvre petit boui-boui et s'était jeté dans la confection de plats modelés illustrant sa jeunesse à lui, les temps passés

son vieux papa, retraité ragaillardi, se fit rapidement une enviable réputation d'artiste naïf

et dans ce musée, au haut d'un escalier, un grand poster du père tout souriant, *full colour*, le vieil homme, bousculé par des visiteurs, s'était immobilisé net dans les marches, il découvrait pour la première fois la grande ressemblance de son père avec ce grand frère que, jadis, on appelait « le Chinois »

il s'ennuyait de lui, il le constatait, il en avait mal

encore cette envie inopinée de pleurer

était-ce la raison ? le soir, à la salle à manger d'un Delta de la ville, à nouveau ce manque d'air, encore ce subit étouffement, la serveuse qui panique, le gérant de l'hôtel qui fait venir une ambulance et, de nouveau, se voir étendu et ligoté

Saint-Pierre diagnostique « reflux gastrique » et prescrit un nouveau médicament : chaque jour, comprimé de Pantoloc

dans la voiture durant le retour, il a murmuré « maudite vieillesse »

le surlendemain, nage à deux : piscine extérieure avec Rolande revenue du Mexique, beau soleil de midi, ciel bleu sans aucun nuage, le vieil homme chantonne en flottant sur le dos sous de vraies plantes : tout autour du grand bocal d'eau limpide, des sapins, des pins, des cèdres, la joie totale

ils entendent des murmures : juchés dans leurs balcons, vêtus de robes de chambre blanches, des curistes sirotent des jus, vitaminés sans doute, attendent l'heure du repas, calories comptées sans doute

la vie est belle, la vie est bonne, Rolande s'est décidée à emménager définitivement avec lui, elle s'est débarrassée de son appartement dans l'ancien couvent la vie recommence en cette fin de mai, la vie se reprend de plus belle, atteindre dans trois ans ce chiffre qui le terrifiait : 80 !

ce sera rien, aucune importance, Saint-Pierre l'a rassuré : « Vous vivrez encore bien plus longtemps que vous le pensez, il n'y a qu'à prendre ces médicaments, Lipitor et, désormais, Pantoloc. »

le couple aime bien s'adosser à un puissant jet d'eau, Rolande soudain : « Peux-tu me dire, ce coupe-vent bleu acier, pourquoi tu le portes sans cesse, tu n'en as pas un autre ?

– C'est qu'il est si léger, si bien fait, isolant du froid comme du chaud... »

il en aime aussi la panoplie de goussets, aux manches, aux côtés, en bas et en haut, dans le dos même, il ajoute :

« C'est un cadeau, héritage d'un ami décédé, Ubaldo, mon meilleur ami, qui l'avait déniché à New York. Un jour, il s'est déchiré, j'ai cherché partout et n'ai jamais pu en trouver un semblable, alors je l'ai fait recoudre chez Mme Gauthier, la modiste du bas de la côte, fou, hein ? »

il s'en est fait une sorte de fétiche, quand il s'en revêt, c'est étrange, il s'imagine que ce coupe-vent le transporte ailleurs, où il veut, une folie, oui, une cape magique, morceau de linge enchanté de super-héros

effet des *comic books* de son enfance ?

avant-hier : matin du déménagement de Rolande, il lui a préparé la grande chambre d'amis donnant sur le lac, il est allé chercher un énorme bouquet d'orchidées chez Hudon, la fleuriste du village

le bonheur, Rolande lui avait dit « oui »

cette quinzaine de jours au Mexique lui avait fait très mal, une absence qui fut un affreux vide, « Moi aussi, tu me manquais affreusement », avait dit Rolande, une femme indispensable, et si elle repartait, pour n'importe où, il lui faudrait l'accompagner

ce soir-là, la ramenant de l'aéroport, il avait fait un arrêt subit au bord de l'autoroute : « Accepteriez-vous, madame, que nous vivions toujours ensemble, matins, midis, soirs et... nuits ? », souriante, elle lui avait dit sur un ton solennel : « Oui, je le veux. »

ils s'étaient embrassés passionnément, « Deux conditions, avait-elle ajouté, on se dit *tu* et tu ne m'appelles plus ta *Mma*, je serai mieux que ta *meilleure amie*... »

il avait tellement craint un refus, il a vingt ans, sa vie va changer encore, il se sent rajeunir, le voilà tout léger, davantage encore qu'avec son fameux coupe-vent

il a vingt ans !

« Je ne fais plus de romans depuis longtemps, mais là, j'ai envie de m'y remettre, un roman en forme de récit : moi en gamin, l'année d'avant l'école, 1935, et j'y insérerais les lettres de Chine retrouvées... »

elle rit, l'entoure de ses bras, l'embrasse

sur un des balcons, un couple applaudit en riant, soudain nuages, vent fort : le vieil homme et sa compagne quittent la piscine, s'assoient sur des transats de l'hôtel : « Écoute, le soir de l'aéroport, je fouillais partout, cherchant ma pipe, et j'ai trouvé sous le vaisselier une autre lettre de Chine, perdue au moment où je les ai rangées la première fois, et en la lisant, j'ai pensé à l'Irak, à l'Afghanistan, à la Tchétchénie aussi, au Darfour, à l'Iran peut-être bientôt, à la guerre quoi, c'est une lettre terrible... »

il la sort de son sac et la lit :

Szépingkai,

Mandchourie,

Mon petit frère,

Si tu lis cette lettre en ce moment, si elle t'est parvenue, il faut en remercier un couple de nos Chinois. Lui, c'est Tchang Wen-siou et elle, Leang Yin-tchen. S'il y a si longtemps que tu n'as plus aucune nouvelle de moi, c'est que nous n'avons plus le droit de vous écrire.

Ces deux Chinois prendront donc des risques. Le mari, on lui fiche un peu la paix, car ce Tchang vient de se convertir… au communisme ! Il était un des employés ici. Seras-tu étonné si je te dis que je comprends son geste, il fut un esclave, la bête de somme d'un propriétaire absolument tyrannique, d'un affreux despote, un homme souvent battu, le pauvre Tchang, affamé aussi, toujours à bout de forces. Il m'avait tout raconté de son passé, de sa jeunesse d'esclave.

Situation révoltante et trop fréquente dans ce pays, mais notre rôle, tu le comprendras, était de ne pas nous mêler de ces affaires de classes sociales ; notre statut d'évangéliste ne devait pas aller « outre » notre mission religieuse… sinon, gare aux autorités en place. Tout cela, ce déplorable ancien état de choses, va être, c'est bien clair, complètement bousculé maintenant.

Nous avions été, au séminaire, le premier refuge de Tchang et il a connu sa chère Leang dans notre entourage, elle était à la cuisine, à la buanderie aussi. Il l'a entraînée avec lui dans le communisme. Maintenant, mon Tchang est rempli d'espoir, d'une confiance qui, je te l'avoue, fait plaisir à voir. « Cette nouvelle vie ne sera pas seulement pour les gens de Szépingkai mais pour tous les Chinois », m'avait-il presque crié, les yeux allumés.

C'est donc par reconnaissance que lui et sa femme m'ont promis de voir à ce que cette lettre te parvienne. Je te raconte un présent très pénible : j'étais à Lichuan, qui est à la frontière de la Mongolie, et ce soir-là, il faisait très froid. Tout semblait si calme. Comme c'est la coutume, les marchands chinois de cette rue pentue et étroite étaient sortis sur le pas de leurs portes, observant les passants qui marchaient vers leur demeure.

La calme tombée de la nuit, quoi, les ruelles et les rues de Lichuan se vidaient peu à peu. J'entendais chez un voisin les échanges de potins et les babils des enfants, j'observais la lueur de leur lumignon, écoutais des pipes qu'on secouait, les thés du soir étaient bus, la vaisselle se faisait ranger, l'on éteignit les lumignons des alentours. J'allai me promener et, soudain, au mitan de la grand-rue, des portes qui grincent, une dizaine d'hommes nerveux, agressifs, sortent d'une maison. Des chiens jappent dans les cours. Ces gens descendent cette rue qui serpente, ils marchent très vite vers la porte du sud. Ici, les villes, à cause des brigands, ont des murs. J'éprouve une mauvaise intuition.

Devant la boutique du forgeron, j'entends les jurons de l'un de cette troupe, la tête baissée, qui donne de furieux coups de pied sur le poteau où on ligote les bêtes. (Vous avez eu une photo de cet attirail.) Prudent, je les observe de loin qui débouchent sur la place du marché aux puces. La lune dégagée me fait voir, qui luisent, leurs armes ! À grands coups de pied, ils dégagent ce capharnaüm de débris, de déchets, qu'est un tel marché à sa fermeture. À cette heure, il n'y a plus de tentes, d'éventaires, d'étalages, de tout ce bric-à-brac d'un marché chinois. Je vois des chiens faméliques qui flairent des restes avariés, des papiers graisseux. Des hommes tirent sur ces bêtes qui fuient aussitôt. Cette escouade parvient donc à la porte du sud de Lichuan. Une partie file vers l'est en longeant un mur. Où vont-ils? Peut-être, me dis-je, un raid vers quelque bouge à sapèques? Ou bien vers une bande de brigands! Pourtant, ce quartier autour de notre mission catholique en est un réputé comme fort paisible.

Soudain, un sifflet, puis un autre! Ça y est, l'on encercle la résidence où vivent trois missionnaires et des religieuses chinoises aussi de nos catéchumènes. Je les vois qui escaladent notre mur! Alors, vite, je me faufile par une porte de côté et cours me réfugier à l'intérieur. C'est pas long que l'on frappe à grands coups de bottes: « Police! Ouvrez vite! » J'ouvre et je fais face à un chef, revolver au poing. Le recteur, père Quenneville, se montre derrière moi.

« Où sont vos compagnons? » grogne le chef pendant que ses spadassins entrent. Loin de leurs soutanes, enfilant vite des pantalons, Beaudouin et Gauvreau apparaissent dans le corridor. Les Rouges fouillent rageusement les lieux. Énorme vacarme partout. Allons-nous nous faire égorger? On n'en menait pas large, mon petit frère, les quatre prêtres. Enfin, leur chef déplie un papier, c'est un télégramme d'un général communiste. « Missive fraîchement arrivée », dit-il, et il le lit dans un chinois gras: « Services secrets. Urgence numéro 1: Emprisonnement immédiat de tous les étrangers. Ordres vont suivre. »

Nous les suivons à l'extérieur, mal vêtus, marchant à la queue leu leu dans la nuit. La bise d'avant l'aurore se lève, nous frissonnons. On nous jette dans un cachot humide, sans lumière, sans feu. Il faudra, à quatre, nous courber pour y entrer et il y a juste assez d'espace pour nous étendre au sol. Quenneville, qui est toujours calme et qui est connu pour être un dur à cuire, nous recommande simplement de prier.

Ô mon petit frère, au moment où j'écris tout ceci, je ne sais ce que je deviendrai, et si je vivrai longtemps encore. Je pense à vous tous, à mon pays, aussi à cette chanson populaire chez nous : « Si tu vois mon pays, mon pays malheureux / va dire à mes amis que je me souviens d'eux », tu t'en rappelles de cette chanson que maman, pour nous endormir, nous chantait dans notre chambre à trois au grenier à la ferme ?

Je fais face à la pire des détresses. La reverrai-je un jour, notre maman au grand cœur fragile ? Qui m'avait bien dit, je t'en reparle car cela me hante : « Mon p'tit gars, oublie ton rêve d'aller en Chine et reste donc icitte parmi nous, tu seras vicaire, j'irai te visiter souvent... »

Trop tard !

Union de prières,

Ton grand frère emprisonné, Ernest

au-dessus de la sapinière, gros nuages qui s'agglomèrent davantage, le couple retourne tout de même dans l'eau, le temps est si doux

« C'était après la guerre en 1945, dit le vieil homme à sa compagne, cette lettre désespérée, j'avais 15 ans, c'est curieux, malgré les malheurs de l'oncle, on aurait dit que ses lettres me captivaient moins. Je crois me rappeler que papa s'essuyait les yeux en lisant et ma mère poussait de longs soupirs de compassion : ils vont l'assassiner, c'est sûr !

« Devenu grand, je changeais, je refusais la rituelle prière du soir en famille autour d'un lit, *leur* religion, je disais à ma mère consternée : "C'est une affaire privée, la prière, ça regarde personne."

« Au collège des sulpiciens, nous formions une petite bande de résistants aux règlements, on nous avertissait, un jour de fin juin ma mère reçut un mot: *Votre fils ne sera pas admis à notre collège l'an prochain, c'est un indésirable.*

« Les larmes de maman et la déception de papa ! mais quoi ? je ne rêvais plus, je n'étais plus ce gamin à la casquette rouge heureux de sa petite canne à pêche... cet oncle que j'avais tant aimé m'intéressait pourtant encore, après ce sombre récit, et quand il eut été rapatrié, j'allais le voir à Pont-Viau avant qu'on l'expédie au Saguenay. Ma surprise, un jour, quand il me dit: "Tu sais, notre célibat, c'est pas nécessaire, c'est juste bon pour les missionnaires exilés qui ne pourraient pas s'occuper d'une famille."

« Très étonné, je comprenais que cet homme vieilli précocement, qui traduisait du grec ancien l'apôtre Paul, qui fut un facteur d'orgues, n'était pas comme les autres : "un saint", comme disait ma famille, à mes yeux, un savant... capable de rédiger un dictionnaire en chinois, et aussi un esprit ouvert. »

en sortant de la piscine, ils s'embrassent encore

moqueur, le couple du balcon émet des protestations amusées, Rolande leur fait d'horribles grimaces

elle aussi rajeunit

34

ça y est, fin de la dynamite depuis belle lurette et fin du monstre creuseur aux dents pointues, hier, fin du camion transporteur de terre, cette construction souterraine a fait que la cour n'offre plus la moindre touffe de gazon, mais ça y est, la cave est agrandie

depuis quelques jours, dans la cour, son établi bien mis à niveau, étaux fixés, M. Lorange, maigre et habile menuisier, calcule, marque, scie, varlope, rabote et cogne

l'enfant médusé examine ses coffres remplis d'outils

il va cacher sous la *shed* les bouts de bois rejetés par M. Lorange

du matin au soir, l'ouvrier s'active à fabriquer une dizaine de petites tables carrées, une vingtaine de bancs, aussi deux comptoirs, un long et un court

hier midi, l'enfant sortait du hangar déguisé en Chinois, tambour au flanc, procession nouvelle avec ses amis de la ruelle

le jeune menuisier, ébahi, l'a applaudi

l'enfant aime beaucoup l'odeur du bois coupé, est fasciné par le travail adroit du menuisier, de ces restes de bois coupé il fera des cabanes à moineaux mais surtout une grande cabane dans un peuplier voisin

le voilà qui souhaite devenir menuisier un jour, il est épaté par l'adresse de cet ouvrier méticuleux, M. Lorange a été présenté à Colombe, la bonne que sa maman aux cinq rejetons grouillants appelle « ma servante »

papa le ricaneur lui a chuchoté : « C'est l'amour ! » quand l'autre soir il a vu arriver son menuisier « mis sur son 31 »

il amenait Colombe au Château voir le nouveau film de Charlie Chaplin

un dimanche soir, avec sa mère et ses sœurs, l'enfant accompagne son père pour une visite officielle du futur commerce, du restaurant à ressaut, à un étage

aujourd'hui, des déménageurs ont descendu dans cette cave tout un mobilier, à étagères et à tiroirs, mobilier entreposé depuis la vente du magasin de chinoiseries

cette visite vespérale permet au père d'expliquer aux siens où il installera le poêle à gaz pour cuire hamburgers, hot-dogs, grilled-cheese et frites, où seront rangés paquets de tabac et de cigarettes, la grande glacière aux boissons gazeuses, les machines modernes pour milk-shakes, soupes minute, enfin, où sera placé le meuble de la caisse à tiroir de bois coulissant

son père imaginatif a fait installer plusieurs vitrines éclairées pour décorer la partie haute, là où pourra s'asseoir sa clientèle à la sortie des deux cinémas du coin de la rue

dans ces montres vitrées, son père a déjà mis des bibelots chinois, assiettes décorées de dragons, vases aux illustrations exotiques, éventails, statuettes diverses et autres bimbeloteries… l'enfant en fait le tour et félicite son papa, mais sa mère décrète : « Ça fait pas le diable commercial, on dirait un musée ! »

l'enfant ne sait pas encore que son père s'emprisonnera dans ce trou durant de longues décennies pour servir les zazous du quartier, cela durant douze, parfois quatorze heures, sept jours sur sept

l'enfant sait cependant que, désormais, son père ne lui donnera plus sa bonne grosse main pour l'amener en excursion dans les parcs, sur la montagne, à ses chers quais

l'épouse comprend que son mari n'ira jamais plus avec elle en promenade du dimanche ou en visite chez ses sœurs : un condamné, un prisonnier

l'enfant ne sait pas qu'un tel restaurant est un bagne, un antre cimenté mal éclairé, il ne sait pas davantage que ce papa « nouveau » va s'évader de sa grotte à certaines heures… le « prisonnier » peinturlurera ses paysages naïfs sur tous les murs, il créera même des annonces de son cru le long de l'escalier, sur les murs extérieurs, jusqu'au trottoir

il fournira à M. Lorange le dessin original de son enseigne en forme de cafetière fumante et de cornet à glace, des curiosités qui intrigueront les passants, il peindra partout, sur la moindre parcelle d'espace libre, une démangeaison moquée souvent par les passants

un besoin de s'évader de sa caverne ?

la visite se prolonge trop au gré de maman : « Bon, ça suffit, on fait ton entrée à l'école demain. »

l'école !

compensation, il a reçu vendredi, merci à un cousin devenu grand, un petit vélo à deux roues, à deux roues ! fin du tricycle, il se demande s'il ne pourrait pas un bon jour pédaler jusqu'au port, en aurait-il la force physique ?

mardi dernier, Léo, l'oncle cantinier, s'est amené et a annoncé : « Maman nous a offert un de ses logis, à deux coins de rue… à chacun de mes retours du train dans la

Vieille Capitale, je descendrai te rendre visite dans ta grotte, mon p'tit frère, on pourra piquer des jasettes... »

la mère sourit, Léo dit : « Grande nouvelle, ma Rose-Alba est enceinte ! », le père ouvre sa cruche de bière d'épinette : « Faut trinquer à cette annonce », puis l'enfant entend son père parler de vendre des langues de cochon marinées, des œufs dans le vinaigre et... une nouveauté : « Vous allez goûter à ça, ça vient du boulanger italien du voisinage, ils appellent ça de la *pitz.* »

l'enfant apprécie ce pain tomaté avec du fromage

l'oncle déclare : « Questionne ton laitier, t'en auras un, il y a maintenant une sorte de frigorifique qui vient avec leurs produits offerts, Popsicle, Fudgesicle, Revel et Melloroll, un nouveau truc... »

chaque fois qu'il pleut, l'enfant court se réfugier sous le peuplier dans sa cabane toute neuve, pour se distraire, il a aussi son bilboquet, sa petite toupie à corde, son bolo à balle élastique... mais l'école demain !

il n'a pas hâte du tout, et l'oncle ose dire : « Tu vas aimer ça, tu vas voir, tu vas aimer ça, t'es si curieux... »

il ne perd pas sa méfiance, le grand Desbarrats qui monte en deuxième année le console : « Tu ramasses tes cennes et juste en face de l'école, il y a la vieille Pas-de-dents, avec un comptoir plein de bonbons, tu te ramènes en classe, t'ouvres le couvercle de ton pupitre et tu te régales. »

pour agrandir sa cabane, l'enfant a sorti les vieilles planches accumulées depuis des rénovations faites à une propriété de sa grand-mère et il y a découvert toutes sortes de bestioles, poilues et pas poilues, des chenilles inconnues, jaunes, noires, grises, à six ou à douze pattes, certaines à un million de pattes, des sortes de hannetons, à carapace dure ou molle, à deux ou quatre antennes, à gros ventre, à dos multiples, des bibittes qui rampent, crapahutent, glissent, sautillent ou volent…

il les enferme dans des pots, ses sœurs poussent des ouache ! de dégoût, se sauvent

les filles !

le voilà fasciné par ce monde lilliputien, il en fera des dessins, les enverra en Chine, questionnera son oncle si savant… aura-t-il seulement le droit d'en apporter à cette école ?

sa mère a protesté quand l'enfant a voulu rentrer sa collection de rampants dans sa chambre : « Non ! oh non ! pense à Raynald, ton petit frère, il en ferait des cauchemars. »

elle en a aussi profité pour lui redire : « Tu es si curieux de tout, tu vas adorer l'école. »

lundi matin, c'est son père – sa bonne grosse main retrouvée – qui le conduit directement à l'école des garçons, il explique au directeur : « Je lui ai enseigné à lire et à écrire… », on vérifie et, oui, l'enfant sautera la première année !

cela ne le console pas de perdre sa liberté

juste avant d'entrer à l'école, il n'en est pas tout à fait certain, il lui semble revoir de l'autre côté de la rue cet homme en coupe-vent bleu acier, l'homme tient un vélo

est-il tombé ? une jambe de son pantalon est tachée de boue, l'homme au coupe-vent lui sourit, comme au port

quand l'enfant dit à son père : « P'pa, tu vois là-bas, de l'autre côté de la rue… », déjà l'homme au coupe-vent n'est plus là

35

le printemps est là, l'enfant va à l'école, il ne proteste pas, il endure, il croit qu'il finira par oublier sa liberté, le port, le Chinatown, les balades avec son papa, tout, son ancienne vie, quoi !

quelques semaines auparavant, il y a eu un grand malheur chez lui alors qu'il tentait de former un orchestre chinois sur la galerie avec ses petits copains : grappe de grelots, gongs, minicymbales, flûtes et tambours... un beau tapage

« Mémeille est morte ! Mémeille est morte ! »

à l'étage, ces terribles cris de sa mère qui était montée porter des fruits à Albina

interruption immédiate du concert chinois

« Elle n'a pas souffert, mes enfants, répétait la mère, elle reprisait une robe, buvait un jus d'orange et bang ! la crise cardiaque. »

le papa, qui vénérait tant sa vieille maman, est sous le choc, prostré, muet, sa Germaine insiste : « Édouard, il faut vite avertir en Chine. Sois très délicat, dis-lui bien qu'elle n'a pas souffert du tout, qu'elle avait à la main son aiguille à repriser, son jus d'orange à côté d'elle. Il recevra peut-être ta lettre. »

l'enfant ne se fera plus dire « mon futur p'tit pape » et il n'aura plus à courir chez Di Blasio lui acheter du raisin vert aux funérailles, il a découvert, surpris, toute la tribu familiale, il ignorait avoir tant de parents, les deux frères – « Notre frère l'exilé a fait vœu de pauvreté, lui... » – héritaient des maisons de leur mère

argent nouveau à la maison : l'enfant a eu des patins à roulettes, aussi à glace, un vélo neuf

mieux encore, son père cherche à louer un chalet pour l'été, l'oncle cantinier, lui, s'est acheté une voiture Chevrolet rouge vin flambant neuve

son père, qui a peur de tout et surtout des automobiles, dit : « Pas besoin de ça, un char, j'ai mon commerce ici même, sous les pieds. »

voici donc, soudainement, un beau congé, un samedi de bonheur : son oncle et son père ont rempli la Chevrolet de chinoiseries pour essayer de les vendre chez les importateurs chinois du bas de la ville

l'enfant a pris sa canne de bambou, il revoit enfin le port, il exulte, il y a si longtemps qu'il n'est pas venu ici, le fleuve brille au soleil, il examine des nuées d'hirondelles qui font des vols erratiques autour de l'horloge

il est au comble de la joie, l'oncle Léo devant aller vérifier ses stocks de sandwiches à la gare du CPR, son papa pêche à ses côtés et lui raconte qu'il aimait aller pêcher, enfant, dans le marigot, juste au nord du pont vers Laval, avec son grand frère, pas encore séminariste

impatient, le père change de leurre souvent, lui dit soudain : « Il y avait un blondinet maigrichon qui venait pêcher souvent et toujours avec son père, j'observais cet homme si dévoué, penché sur son petit gars, riant fort, le cajolant, lui expliquant des manières de pêcher, ça me rendait triste, je n'avais pas ça, un père. »

un silence s'installe, l'enfant a de la peine pour ce père orphelin, à la grande horloge il lit maintenant qu'il est midi mais son paternel ne parle pas de rentrer

un peu plus tôt, les deux frères aux bras chargés de colis ont réussi à revendre une grande part des stocks importés, fructueuses négociations avec M. Wong, comme avec M. Wing et Li Tchen Lin, l'enfant a vu se gonfler le portefeuille du père

le père et le fils observent les manœuvres d'un bateau de croisière à un quai voisin, sur tous ses ponts des passagers endimanchés guettent le moment de descendre à terre, l'enfant lit en grandes lettres : STEAMSHIP.

« Mon p'tit gars, ça, c'est un navire que je connais bien, ta mère et moi on a navigué dessus, en 1925, oui, voyage de noces au Saguenay… »

l'enfant s'en excite : « P'pa, m'amèneras-tu à Sorel un jour ? On m'a dit qu'il y a un bateau qui y va tous les samedis. »

le père ne répond pas, enfonce un peu son vieux feutre brun, tire sur sa ligne, tousse, retrouve enfin la parole : « Euh… il y a que, dès demain, mes planchers vernis séchés, j'ouvre le restaurant. »

sept jours sur sept, son papa sera au boulot : « Les tours de bateaux seront pour la semaine des quatre jeudis ou pour quand les poules auront des dents, mon gars. »

il rit, l'enfant ne rit pas, il est tout jongleur, lui qui fera un jour le tour de la mappemonde, et il se demande comment un homme peut accepter de se voir condamné de la sorte à l'immobilité perpétuelle

« P'pa, tu n'iras plus nulle part, jamais ? »

le père ne répond pas, active son moulinet puisque ça tirait un peu… non… rien

« Sais-tu, mon p'tit gars, que j'ai vu des baleines une fois rendu là-bas, oui, des baleines ! »

l'enfant écarquille les yeux : « Des baleines, papa, tu as vu des baleines ?

– Mais oui, ta mère te le dirait, des immenses qui nous crachaient des jets d'eau, énormes, bleues... Ton oncle en Chine, lui, il n'a jamais vu ça, des baleines. »

l'enfant décèle dans les paroles de son père une sorte de jalousie face au grand frère exilé dont les contes chinois ont tellement épaté son fils, et il dit : « Sais-tu, papa, que j'ai visité un bateau une fois, à ce quai là-bas... »

le père s'en étonne, s'énerve, le questionne, et fusent des qui ? où ? quand ? pourquoi ?

« Avec un matelot très gentil, un ancien pêcheur de morues, qu'il m'a dit, de homards, de crabes. Déjà, il avait vu la Russie, l'Égypte, le monde entier, même la Chine ! »

le père bourre nerveusement sa pipe, grommelle : « J'ai été bien imprudent en te laissant seul ici, c'est bien fini, regarde comme il faut tout autour, on ne reviendra pas de sitôt. »

l'enfant s'attriste, observe les trains immobiles, les cabanes, les bateaux, les oiseaux, le soleil qui luit très fort, qui l'aveugle, zut ! il a oublié sa casquette à palette rouge

des mouettes pleurent maintenant à tue-tête, filent vers la tour de l'horloge, s'y posent en grappes compactes, on ne voit plus le grand cadran ! l'enfant pousse son père du coude, lui montre l'horloge envahie, ils rient ensemble

l'homme du triporteur pédale vers eux, son écriteau aux lettres de fions dorés : *DOUCEURS, GÂTERIES*, le père achète deux brioches au miel, ses préférées : « Goûte-moi ça, fiston, et toute ta vie tu en raffoleras comme moi. »

en mangeant, ils vident deux bouteilles de ginger ale

maintenant des voitures, et des taxis aussi, se rangent près d'une longue jetée, celle du grand paquebot blanc, les croisiéristes s'apprêtent à débarquer, mugissants coups de sirène, à terre une petite foule en liesse fait des saluts frénétiques, il y a un vieil infirme, un paralysé qui se fait porter par deux colosses

l'enfant dit : « P'pa, ton grand cousin Olier, est-ce qu'il sortira de sa prison un jour ? »

un détective s'était amené à la maison avec ce Olier menotté qui, avec un jeune complice, était l'auteur du hold-up au magasin : terrible émoi à la maison, tante Elvina, la mère d'Olier, pleurait, en répétant : « Mon Olier devenu fou et violent... »

le limier, grosse boule de suif, opinait du bonnet, annonçait : « Votre parent sera interné à l'asile de la Longue-Pointe. »

l'enfant en fut atterré, l'asile des fous !

hier, vendredi, un clerc de Saint-Viateur, Foisy, lui a appris des répons en latin, il sera bientôt servant de messe, l'enfant se demande maintenant s'il va continuer de vouloir apprendre le chinois, car le latin le captive

à la récréation, il a montré de ses photos de la Mandchourie, frère Foisy lui a dit qu'il n'aimait pas les Chinois, que, en mission, il préférerait aller chez les nègres d'Afrique, « si rieurs, joyeux et tellement plus francs », l'enfant était démonté, l'enseignant insistait : « Oui, les Chinois sont hypocrites, des fourbes, des menteurs... », le gamin – qui connaît bien la Chine, pense-t-il – n'en peut plus et ose protester : « Vous comprenez pas, c'est qu'il y a *la face*, oui, en Chine, il y a *la face*, il faut toujours *sauver la face*, c'est leur savoir-vivre, il faut savoir ça... »

de sa grand-mère, il a hérité tous les ustensiles sacrés pour un petit autel acheté jadis pour son fils exilé quand il a fait sa première communion, et le menuisier qui « fréquente » la bonne lui a confectionné un autel miniature à partir d'un pupitre

dans sa chambre, l'enfant dit la messe en kimono paré d'orfrois lumineux, pieds nus dans des sandales chinoises, à la franciscaine, ses sœurs assistent en riant à ses messes, il fait brûler dans le petit encensoir des bâtonnets d'encens chinois, il en aime l'odeur

enfin ça mord à la ligne de l'enfant, enfin une prise, un doré pas bien gros, le père veut décrocher le poisson, l'enfant le repousse : « Laisse, je suis capable tout seul ! », il fourre son poisson enveloppé de papier journal dans le sac des « très chères » nouilles chinoises du père, ces nouilles et ces gâteaux au miel qu'il achetait chaque fois qu'il venait dans le Chinatown

la Chevrolet rouge vin fait son entrée au port

« À c't'heure, faut y aller, ta mère pourrait s'inquiéter, mais on reviendra pas bredouilles ! »

arrivé au coin du Château, Léo ralentit pour lire les affiches : « Un film d'amour, j'amènerai Rose, elle adore ces romances… »

plus de grand-mère à son balcon

la mort

l'enfant en a du chagrin, il aimait apercevoir cette petite silhouette si familière, qui de sa chaise berçante le regardait jouer dans la cour, souriait quand il organisait un défilé chinois avec sa fanfare ou quand il agrandissait sa cabane, quand il découvrait de nouveaux insectes il montait lui en montrer et les cris de frayeur de la vieille femme le faisaient tant rire, elle rentrait chez elle, mettait le crochet à sa porte de moustiquaire :

« Va-t'en avec tes monstres, va-t'en, mon p'tit vlimeux ! »

un jour, il croquait un de ses *cakes,* elle lui avait dit pour son cœur fragile et pour la mort qui la guettait, l'enfant en fut si remué qu'il versa des larmes : « Mon petit, tu dois me comprendre, je n'ai pas peur. Au ciel, plus d'escalier à monter, rien… »

sortant de la voiture devant chez lui, l'enfant admire l'entrée du restaurant, deux maçons italiens, à quatre pattes, achèvent de noyer dans le mortier de très jolis carreaux de faïence en couleurs

son père : « Tu vois l'abri au-dessus de mon escalier, on dirait un pagodon chinois, non ? »

le gamin voit surtout que ce parterre disparu lui fera une halte d'où sauter quand il jouera à Tarzan dans les escaliers en colimaçon de sa rue

sa mère sort pour les accueillir en souriant, félicite son petit pêcheur pour le doré, va mettre le poisson dans la glacière en disant : « Regardez, la voisine est venue me porter cette lettre de Chine déposée chez elle, notre nouveau facteur s'est trompé. Mon repas est prêt, on lira ça plus tard. »

toujours des saucisses, mais il y a les bonnes nouilles chinoises du papa

le père s'installe dans le boudoir avec la nouvelle lettre, la mère a son reprisage, son papa veut d'abord bourrer sa pipe, ce sera long, songe son garçon

il décide dans sa tête qu'il va rédiger une première lettre bien à lui, car il a appris que l'oncle n'a jamais vu le logis où il vit, il va tout décrire, les deux colonnes corinthiennes du salon, son plafond avec la rosace de stuc, le luminaire à six tulipes de verre aussi, le décor à décalcomanies avec sa ribambelle de sylphides sautillantes et les deux portes vitrées du salon gravées de cigognes dans des roseaux, aussi, dans le portique, le portemanteau au joli miroir encadré de boiseries sculptées, et, en face, la toile encollée avec son paon majestueux sur une balustrade gréco-romaine, enfin il lui parlera du restaurant tout neuf, du pagodon de bardeaux, des carreaux de céramique sur le trottoir, tout, tout, et son père corrigera les fautes

la pipe boucane, enfin, la lecture :

Szépingkai,

Mon cher grand frère, chère famille unie,

J'entre maintenant dans ma dixième année en Chine. Mil neuf cent vingt-cinq, c'est loin. Le temps se sauve de nous. Voici d'autres photographies pour ajouter à la collection de ton grand garçon, qui doit aller à l'école maintenant. Votre fils m'a indiqué derrière son dessin d'un dragon « effrayant » qu'il tenait aussi un cahier avec des mots, des phrases en chinois.

Pour son cahier donc : « chang tch'ö », *pour « monte en voiture »,* « chang yao ts'ien », *pour « monte dans l'arbre à l'argent », ici les sapèques, monnaie imprimée sur papier jaune. Amusant :* « pou yao kin » *veut dire « peu importe », et nos sages et stoïques descendants de « l'Empire du Milieu » répètent souvent ce « pou yao kin ».*

Ton garçon a donc reçu une bicyclette à deux roues. C'est un « ma tch'ö », *qui désigne un carrosse russe à deux roues. On y a recours pour aller à la gare ici. Je répète : une motocyclette, c'est* « tien lu tch'ö », *littéralement « un âne électrique ».*

Il se souvient pour locomotive? « Houo-tch'ö-t'eou », *ça sonne, hein?*

Bien entendu, nous enseignons: « Tien tchou, ni na wo, wo na ni », *qui veut dire: « Mon Dieu, vous m'aimez et je vous aime. » « Ne lâchez pas » se dit* « Nan so ». *Qu'il sache aussi que nous disons* « Pei ping » *pour Pékin, souvent* « Houen nam » *pour Chine, on disait aussi jadis « Cathay ».*

Enfin ils disent « Szepingche » *pour Szépingkai. Édouard, tu me questionnais là-dessus: il y a plus de trois millions d'habitants par ici. Hélas, l'instruction est peu répandue, mais ils ont une éducation « bien à eux », familiale; une culture aussi et il m'arrive de chicaner certains confrères qui n'en tiennent pas assez compte. Le Chinois ignore tout de l'étranger, aussi son domaine à lui est tout son univers, de là une sorte de nationalisme égoïste.*

Mes photos maintenant.

Voyez un laboureur avec le rare « carabao », *buffle d'eau imposant, non? Voyez un petit marchand d'eau chaude dans la rue; si rare, l'eau chaude, qu'elle est à vendre. Admirez un étal de boucher extérieur; appétissant? Depuis quand, pensez-vous, y a-t-il des chrétiens chinois? Voici la photo d'une vieille église de* « Ch'a kon » *qui date de… 1860!*

Il n'y a pas une minute, voilà un nouveau venu qui me tire la barbe, puis me tâtonne le nez en riant, avec de grandes précautions, c'est que pour les Chinois, plutôt imberbes et aux nez assez courts, nos longues barbes de missionnaires, nos nez européens sont de fortes attractions!

Nos Chinois sont très intelligents, assimilent et reproduisent très vite tout ce qu'ils découvrent. Ce sont de fameux résistants malgré tant d'invasions. Il y a bien tous ces brigands, des paresseux « ambitieux » au fond, mais les Chinois en général sont des gens paisibles, calmes, flegmatiques même.

D'une patience rare. Je vous l'ai écrit : on entend sans cesse devant une difficulté : « mei fa tseu », *« pas capable », et alors le Chinois, débrouillard toujours, va s'y prendre autrement. J'y reviens, il y a ce « ne jamais perdre ou faire perdre la face ». Cela découle de leur honneur et aussi de l'orgueil. Ils ont de la conscience, cela leur vient du célèbre Confucius et ses « dictées » fameuses. Une philosophie faite de sages proverbes, de dictons brillants qui sont légués de père en fils. C'est souvent très proche de notre « charité chrétienne ».*

Ainsi ils ont notre « ne faites pas aux autres ce que vous ne voudriez… ». Je termine, les grandes cérémonies en Chine sont les mariages et, j'en ai déjà parlé, les funérailles. Or, je vous l'ai dit, il y a des variantes dans leur religion. Tu m'as écrit comment ton garçon était hanté par ces licornes à ficelles, etc., ça va lui changer les idées, voici ce qui se nomme « Le passage du pont », un rituel mortuaire étonnant.

Le soir, avant le jour de l'enterrement, soit dans la cour du mort, soit en pleine voie publique, oui, dans la rue, on dresse un pont avec des tables empilées ou des planches. Quarante pieds, plus ou moins. Étroit ce pont de bois qui devient le passage symbolique vers l'au-delà, le moyen d'aller rejoindre ses ancêtres, ce qui est sacré en Chine. Te dire ici, mon petit frère, tes réticences à m'accompagner quand je voulais aller derrière l'église natale, à Saint-Laurent, pour prier sur la tombe de notre papa mort si jeune, tu regimbais fort, tu t'en souviendras ? Tu vois, moi, enfant, j'avais déjà l'âme chinoise !

Le pont funéraire, donc ? On pose des pièces de drap de chaque côté en guise de parapets, et des bandits, nommés « nieou kouei », *habillés, affreusement masqués, montent la garde sur ce pont ; ce sera l'épreuve car ils voudront s'emparer de l'âme du mort, l'empêcher de traverser ce pont, le piller et le jeter dans le lac sanglant. Ce sera donc une sorte de pantomime mortuaire tragique.*

Dans la tente du défunt, les bonzes récitent à tue-tête les prières voulues. Ensuite, ils marchent vers le fameux pont. Le fils aîné les suit, pas brave. L'officiant ose grimper sur ce pont et les endeuillés alors se jettent à genoux, une musique éclate jouée par des acolytes engagés, payés pas bien cher. Autour de la tablette du mort, avec une canne, les bonzes tracent deux cercles larges et « en avant! », on fonce avec les porteurs du cadavre, c'est là que surgissent les brigands masqués qui vocifèrent des: « On ne passe pas! »

Me vois-tu près du pont, mon petit frère? Je fus fort impressionné la première fois que j'ai pu assister à ce cérémonial tragique.

le père rallume sa pipe au grand dam de l'enfant qui est resté tout suspendu au récit de son oncle: « P'pa! tu fumeras plus tard! Ensuite, ensuite? »

C'est une bataille étrange, les diables ont des épées et leurs masques représentent les forces du mal, celles des enfers chinois. Ce sont souvent des mendiants qui sont engagés pour mimer ces vilains démons, ils en rajoutent en espérant, à la fin, toucher de bons gages. L'officiant bonze en chef reçoit de ses assistants dans cette mêlée les cinq plateaux de grains, les morceaux de gâteau pris dans la tente mortuaire. Alors on le voit enfin, farouche, qui projette dans toutes les directions, aux quatre horizons, quoi, les cinq espèces de grains, de céréales.

Les démons courent se jeter sur cette pitance, débarrassent le pont et ainsi le cortège peut passer vite au-delà du pont en question. Le convoi traverse avec hommes, femmes et enfants, toute la parenté, quoi, ils croient qu'en traversant avec le cadavre ils se prémunissent eux-mêmes contre les maléfices diaboliques ! Sorte d'assurance pour quand viendra leur tour.

Ouf! On a donc atteint sans trop d'encombre la rive opposée, et le mort, si j'ose dire, peut… respirer ! Mais il arrive qu'un des diables entre en féroces discussions avec le bonze : épée qui frappe, postures menaçantes, le diable veut négocier de meilleures parts de gâteau ou recevoir une somme d'argent. Ce sera une âpre lutte et, aussitôt, les prières, les chants, les pleurs montent en une poignante chorale. Le « diable-mendiant » l'obtiendra bien souvent, son gros pourboire, comme si on le rémunérait pour un si bon jeu. Mais des enfants crédules sont en larmes et c'est parfois une bataille risquée, parfois certains acteurs se prennent trop au jeu et, j'ai vu ça mon petit frère, il y a, oui, des blessés.

Quand tout est fini, les bonzes reviennent dans la tente, s'aspergent avec l'eau lustrale, enlèvent leurs chapes aux orfrois lumineux, disent une dernière oraison et puis s'en iront après avoir reçu leur salaire. On démolira « le pont du passage des enfers » chinois. Il faut bien libérer la cour ou rendre la rue aux passants, non ? Démolition discrète, donc, du pont en question, une fois la foule en allée. Le mort, l'âme en sécurité, sera ensuite transporté au cimetière de son domaine.

Tu m'as parlé dans ta dernière lettre d'un M. Cloutier, un locataire du troisième, embaumeur de métier, ainsi que d'un M. Turcotte, qui ouvrira bientôt de chics salons mortuaires à cinq portes de chez vous, eh bien, tu vois, ça m'a inspiré, tu iras leur raconter la cérémonie funéraire « du pont » et qu'ils en prennent de la graine, la mort en Chine, c'est spectaculaire !

Union de prières,

Ernest

P.-S. : Je guetterai pour un dessin de ton garçon marqué « démons masqués ». Maman se porte comment, pas d'autre attaque cardiaque, j'espère ?

36

c'est un beau printemps de 1936, dans quelques mois, un nouvel été, il y aura ces vacances, pour la première fois, à la campagne, un monde nouveau à découvrir pour cet enfant de ville

il regarde par une fenêtre ouverte de sa classe, enrage car il entend les oiseaux mais ne les voit pas, pas le droit de se lever, l'école c'est quoi ? c'est plein de règlements

l'écolier ne peut pas savoir qu'il y aura la guerre dans quelques années, il ne sait pas non plus que dans une dizaine d'années l'oncle tant aimé se fera rapatrier de Chine, maigre comme un clou, la peau et les os.

assis sagement à son petit pupitre du fond de la classe, il pense à son « ancien temps », celui d'avant l'école quand il allait si souvent marcher dans le Chinatown avec, refermée sur la sienne, la bonne grosse main de son père, il pense au temps où il allait pêcher sur un quai du fleuve – il a offert son petit banc de tôle noire pliant au frère Foisy qui s'en sert pour y installer *lu*, « l'âne » de la classe –, c'est bien fini ce bon temps-là, il cache sous le couvercle de son pupitre un boulier aux rondelles d'ivoire, il aime ce petit appareil chinois à calculer, rescapé de la vente des chinoiseries

désormais, son père vit dans une caverne, une grotte, il est toujours enfermé, à cœur de jour, même les dimanches, un papa interné avec ces *sacreurs* de jeunes *zoot-suiters* turbulents dans son restaurant tout neuf

il se répète : « Papa ne m'amène plus… nulle part… »

l'enfant en est inconsolable

après l'école, il ira encore apprendre quelques nouveaux répons de messe en latin, ce *Suscipiat*… quel embarras à mémoriser… il recevra cinq sous par messe servie, économisera, pourra s'acheter de ses bien-aimés *comic books* au kiosque du coin près du Château, chez le bossu crachotant

il a ses héros préférés, Jacques le Matamore, Mandrake le magicien, Guy l'Éclair, Le Fantôme, Anne la petite orpheline, les gamins comiques du Capitaine, Toto et Titi, mais ses favoris sont Tarzan et Superman, Tarzan pour les fauves, la nature sauvage, la jungle, la liberté, Superman pour la faculté de s'envoler dans les airs

c'est tellement mieux que de regarder les photos du *National Geographic* de son père et ne pas pouvoir lire les textes

apprendre l'anglais ? non, plutôt le chinois, il songe aussi à l'italien maintenant, il aimait tant, l'été, aller entendre les sermons à Madonna della Difesa, une musique, cette langue

admirer Superman aussi parce que c'est son rêve le plus fou, le plus tenace : pouvoir voler, s'envoler au-dessus des maisons de sa rue, de son quartier, de la ville entière

pouvoir aller où il veut

dans le Chinatown, au port, revoir les bateaux, les marins qui chantaient à tue-tête en sortant de la taverne, ces oiseaux blancs dont il ne sait jamais si ce sont des mouettes ou des goélands

dans son sommeil, il vole très souvent, très longtemps, et il a pu ainsi apercevoir la Chine la nuit

M. Lemay, son maître, un nabot dévoué, vient d'élever la voix, le regarde très sévèrement en faisant sauter un bout de craie de plâtre dans sa main

il rêvait encore, s'évadait encore, il était sorti de l'école et songeait à cette fois où des sortes de pigeons blancs cachaient complètement le grand cadran à chiffres romains du quai de l'horloge

« Mon petit ami, je repose ma question : Acte d'humilité, s'il vous plaît ? »

l'enfant bafouille, se souvient seulement du passage qu'il déteste, « je ne suis que cendre et poussière », il finit par s'en sortir, récite par cœur et entend :

« Bien, très bien, mais, de grâce, restez avec nous ! »

rentré de l'école, il est décidé à organiser dans la ruelle, avec ses vieilles planches, la funèbre « cérémonie du pont », Lanthier fera le mort, Desbarrats, le bonze, lui sera un diable masqué, le tourmenteur

il se voit déjà fouillant dans les caisses de chinoiseries du hangar : tout n'a pas pu être vendu

le voisinage entier voudra y assister, il y aura les tambours et les flûtes chinoises, le gros gong de cuivre, les petites cymbales, les clochettes carillonneuses, il y aura les porteurs du cercueil, les pleureuses aussi, Marielle et ses petites amies, des biscuits à disperser pour éloigner les démons, ce sera très effrayant à voir pour les voisines des galeries de la cour, ces oisives commères

ce midi, en se procurant des bonbons chez la vieille Pas-de-dents, en face de l'école, il a vu un reste de masques d'Halloween à cinq sous, il ira en acheter un, le plus horrible

soudain, une jolie coccinelle rouge à pitons noirs vient se poser sur son crayon jaune HB, elle referme ses ailes minuscules sous sa carapace, il la prend délicatement de deux doigts, la dépose au milieu de son manuel d'histoire sainte, referme le livre, crac!

il aurait bien voulu la montrer à sa Mémeille

« Encore sorti par la fenêtre, vous ? Je répète donc : Acte d'espérance ? »

l'enfant fouille sa mémoire mais n'arrive pas à cesser de penser aux démons de la cérémonie du pont chinois, il marmonne : « Euh... euh... d'espérance... d'espérance ? »

la cloche sonne très fort dans les corridors, délivrance

vite, vite, aller s'acheter un masque de diable!

acte d'espérance

37

vrais, donc, tous ces comiques phylactères de bandes dessinées ? le vieil homme a vu des étoiles

il savait bien qu'il ne se ferait pas tuer mais qu'il se tuerait lui-même, on lui a si souvent dit de ralentir, qu'il finirait par se tuer un de ces jours, il a tout fait très rapidement, sa nature

le voilà étendu sur la pelouse du voisin après avoir entendu un formidable « bang ! » et avoir vu des étoiles

ce matin, voulant « aller aux journaux », il avait d'un geste endossé dans le portique son sempiternel coupe-vent bleu acier

c'était donc la dernière fois qu'il traversait sa rue, fonçait sur lui le pick-up rouge, celui d'un *jobber* qu'il connaît bien, le jardinier bougonneur, André

bang !

les étoiles !

le voisin, Maurice, était en train d'ajuster les pierres de son escalier, il a entendu le cri du vieil homme, dernier cri d'un humain, le vieil homme a vu Pauline, Raymonde, Jean-Paul, des voisins accourus, des têtes penchées au-dessus de lui

et puis tout est devenu silence et noir absolu

hier, Rolande lui offrait des sortes de manchettes en soie noire, elle riait : « Enfile ça, tu ne te saliras plus les manches en lisant tes journaux ! »

fou ? il se voit qui entre dans un des manchons noirs, il glisse dedans, il déboule, aperçoit des silhouettes floues, puis, en images claires, tout un régiment de petits soldats de plomb, Lanthier rit, Desbarrats lui offre des bonbons, la flotte de ses petites voitures de toutes les couleurs

maintenant un marin le guide en riant sur le pont d'un cargo

il glisse encore, il aperçoit sa grand-mère sur la galerie de l'étage qui lui offre un verre de jus d'orange, lui, gamin sali, a un panier de raisins verts à la main

il y a si longtemps de ça... voici sa mère qui chantonne en équeutant des fraises, voilà maintenant son père, aux quais du port, les bras chargés de ses achats de chinoiseries, le gamin lui montre fièrement un poisson pêché

l'impression d'une accélération dans sa glissade

défilé de souvenirs, la petite école, le frère Foisy parle en latin, un coin de la sacristie, il revêt sa soutane, au pied d'un autel fleuri, il sonne les clochettes à l'élévation, il voit maintenant la cour de son collège, il reçoit une balle de crosse sur la tête et ses camarades rigolent

c'est encore lui, à vingt-cinq ans, dans une salle de rédaction où un chef de pupitre gueule : « *Deadline*, les gars ! Merde, *deadline*, grouillez-vous ! »

il revient dans la réalité, la pelouse vue en plongée : il est couché dans l'herbe, revoit les voisins, Jean-Paul, Pauline, Maurice, qui grimacent, une ambulance clignotant de tous ses feux, pas loin en travers de la rue, une civière rouge

retour subit dans le manchon noir : ses enfants blonds, en maillot de bain, qui jouent au bord d'un grand lac, une monitrice de la piscine qui rit accrochée au téléphone, Rolande chausse des skis, ne le regarde pas, un éditeur joyeux lui apparaît les mains pleines de pages annotées, soudain son bureau, à tous les murs une tapisserie monstrueuse de tous ses textes

sa lassitude, quand cessera cette glissade ?

voici maintenant le bon visage de l'oncle missionnaire qui, avec de grands gestes, l'invite à aller traverser un pont improvisé où des démons gesticulent à qui mieux mieux

le vieil homme en coupe-vent bleu glisse davantage et il imagine, incrédule, les enfers chinois, il admire les cierges, les lanternes de papier décorées, des licornes qui glissent, marionnettes drôles, il entend une musique de gongs, de clochettes, de flûtes chinoises et de tambours battus, une musique qui l'envoûte

pas d'enfer, oh non ! mais non, au bout de cette glissade, c'est une lumière qui monte, qui l'attend, qui l'accueille, qui l'attire, une lumière d'une intensité totale, comme il n'en a jamais vu, une lumière bienfaisante

il se sent tout illuminé

et il est bien, si bien, éclairage merveilleux, il souhaite s'y noyer

il entend faiblement des appels, c'est son nom que l'on murmure, où ? plus loin, en arrière, plus bas

mais pour rien au monde il accepterait de quitter cette lumière

pour rien au monde

DU MÊME AUTEUR

suite de la page 4

Deux mâts, une galère, mémoires, Montréal, Leméac, 1983.*Le crucifié du sommet bleu*, roman, Montréal, Leméac, 1984.

L'État-maquereau, l'État-maffia, essai, Montréal, Leméac, 1984.

Des cons qui s'adorent, roman, Montréal, Leméac, 1985.

Une duchesse à Ogunquit, roman, Montréal, Leméac, 1985.

Alice vous fait dire bonsoir, roman, Montréal, Leméac, 1986.

Safari au centre-ville, roman, Montréal, Leméac, 1987.

Une saison en studio, récit, Montréal, Guérin littérature, 1987.

Pour tout vous dire, journal, Montréal, Guérin littérature, 1988.

Pour ne rien vous cacher, journal, Montréal, Leméac, 1989.

Le gamin, roman, Montréal, l'Hexagone, 1990.

Comme un fou, récit, Montréal, l'Hexagone, 1992.

La vie suspendue, récit, Montréal, Leméac, 1994.

Un été trop court, journal, Montréal, Quebecor, 1995.

La nuit, tous les singes sont gris, roman, Montréal, Quebecor, 1996.

Pâques à Miami, roman, Outremont, Lanctôt éditeur, 1996.

L'homme de Germaine, roman, Outremont, Lanctôt éditeur, 1997.

Albina et Angela : la mort, l'amour, la vie dans la Petite Patrie, poèmes, Outremont, Lanctôt éditeur, 1998.

Maurice Duplessis ou le Patriarche bleu, roman, Outremont, Lanctôt éditeur, 1999.

Papa Papinachois, roman, Outremont, Lanctôt éditeur, 1999.

Enfant de Villeray, récit, Outremont, Lanctôt éditeur, 2000.

Je vous dis merci, autobiographie, Montréal, Éditions Alain Stanké, 2001.

Pour l'argent et la gloire, autobiographie, Trois-Pistoles, Éditions Trois-Pistoles, 2002.

À cœur de jour, journal, décembre 2001 à mars 2002, Trois-Pistoles, Éditions Trois-Pistoles, 2002.

Écrivain chassant aussi le bébé écureuil, journal, avril à août 2002, Trois-Pistoles, Éditions Trois-Pistoles, 2003.

Interdit d'ennuyer, entretiens, Francine Allard et Claude Jasmin, Montréal, Triptyque, 2004.

La mort proche, journal, septembre à décembre 2002, Trois-Pistoles, Éditions Trois-Pistoles, 2004.

Rachel au pays de l'orignal qui pleure, roman, Trois-Pistoles, Éditions Trois-Pistoles, 2004.

Toute vie est un roman, correspondance, Claude Jasmin et Michelle Dion, Trois-Pistoles, Éditions Trois-Pistoles, 2005.

AUTRES TITRES PARUS
DANS LA MÊME COLLECTION

Barcelo, François, *J'enterre mon lapin*
Barcelo, François, *Tant pis*
Borgognon, Alain, *Dérapages*
Borgognon, Alain, *L'explosion*
Bouchard, Roxanne, *Whisky et paraboles* (Prix Robert-Cliche 2005)
Boulanger, René, *Les feux de Yamachiche*
Boulanger, René, *Trois p'tits chats*
Breault, Nathalie, *Opus erotica*
Caron, Pierre, *Thérèse. La naissance d'une nation. T. I*
Caron, Pierre, *Marie. La naissance d'une nation. T. II*
Caron, Pierre, *Émilienne. La naissance d'une nation. T. III*
Cliff, Fabienne, *Kiki*
Cliff, Fabienne, *Le nid du Faucon*
Cliff, Fabienne, *Le royaume de mon père. T. I : Mademoiselle Marianne*
Cliff, Fabienne, *Le royaume de mon père. T. II : Miss Mary Ann Windsor*
Cliff, Fabienne, *Le royaume de mon père. T. III : Lady Belvédère*
Collectif, *Histoires d'écoles et de passions*
Côté, Jacques, *Les montagnes russes*
Côté, Reine-Aimée, *Les bruits* (Prix Robert-Cliche 2004)
Désautels, Michel, *La semaine prochaine, je veux mourir*
Désautels, Michel, *Smiley* (Prix Robert-Cliche 1998)
Dufresne, Lucie, *L'homme-ouragan*
Dupuis, Gilbert, *Les cendres de Correlieu*
Dupuis, Gilbert, *La chambre morte*

Dupuis, Gilbert, *L'étoile noire*
Dussault, Danielle, *Camille ou la fibre de l'amiante*
Fauteux, Nicolas, *Comment trouver l'emploi idéal*
Fauteux, Nicolas, *Trente-six petits cigares*
Fortin, Arlette, *C'est la faute au bonheur*
(Prix Robert-Cliche 2001)
Fortin, Arlette, *La vie est une virgule*
Fournier, Roger, *Les miroirs de mes nuits*
Fournier, Roger, *Le stomboat*
Gagné, Suzanne, *Léna et la société des petits hommes*
Gagnon, Madeleine, *Lueur*
Gagnon, Madeleine, *Le vent majeur*
Gagnon, Marie, *Emma des rues*
Gagnon, Marie, *Des étoiles jumelles*
Gagnon, Marie, *Les héroïnes de Montréal*
Gagnon, Marie, *Lettres de prison*
Gélinas, Marc F., *Chien vivant*
Gevrey, Chantal, *Immobile au centre de la danse*
(Prix Robert-Cliche 2000)
Gilbert-Dumas, Mylène, *1704*
Gilbert-Dumas, Mylène, *Les dames de Beauchêne. T. I*
(Prix Robert-Cliche 2002)
Gilbert-Dumas, Mylène, *Les dames de Beauchêne. T. II*
Gilbert-Dumas, Mylène, *Les dames de Beauchêne. T. III*
Gill, Pauline, *La cordonnière*
Gill, Pauline, *Et pourtant elle chantait*
Gill, Pauline, *Les fils de la cordonnière*
Gill, Pauline, *La jeunesse de la cordonnière*
Gill, Pauline, *Le testament de la cordonnière*
Girard, André, *Chemin de traverse*
Girard, André, *Zone portuaire*
Grelet, Nadine, *La belle Angélique*
Grelet, Nadine, *Les chuchotements de l'espoir*
Grelet, Nadine, *La fille du Cardinal. T. I*
Grelet, Nadine, *La fille du Cardinal. T. II*
Gulliver, Lili, *Confidences d'une entremetteuse*

Gulliver, Lili, *L'univers Gulliver 1. Paris*
Gulliver, Lili, *L'univers Gulliver 2. La Grèce*
Gulliver, Lili, *L'univers Gulliver 3. Bangkok, chaud et humide*
Gulliver, Lili, *L'univers Gulliver 4. L'Australie sans dessous dessus*
Hébert, Jacques, *La comtesse de Merlin*
Hétu, Richard, *Rendez-vous à l'Étoile*
Hétu, Richard, *La route de l'Ouest*
Jobin, François, *Une vie de toutes pièces*
Lacombe, Diane, *La châtelaine de Mallaig*
Lacombe, Diane, *Gunni le Gauche*
Lacombe, Diane, *L'Hermine de Mallaig*
Lacombe, Diane, *Sorcha de Mallaig*
Laferrière, Dany, *Cette grenade dans la main du jeune Nègre est-elle une arme ou un fruit?*
Laferrière, Dany, *Le goût des jeunes filles*
Lalancette, Guy, *Il ne faudra pas tuer Madeleine encore une fois*
Lalancette, Guy, *Les yeux du père*
Lamothe, Raymonde, *L'ange tatoué* (Prix Robert-Cliche 1997)
Lamoureux, Henri, *L'infirmière de nuit*
Lamoureux, Henri, *Journées d'hiver*
Lamoureux, Henri, *Le passé intérieur*
Lamoureux, Henri, *Squeegee*
Landry, Pierre, *Prescriptions*
Lapointe, Dominic, *Les ruses du poursuivant*
Lavigne, Nicole, *Les noces rouges*
Massé, Carole, *Secrets et pardons*
Maxime, Lili, *Éther et musc*
Messier, Claude, *Confessions d'un paquet d'os*
Moreau, Guy, *L'Amour Mallarmé* (Prix Robert-Cliche 1999)
Nicol, Patrick, *Paul Martin est un homme mort*
Ouellette, Sylvie, *Maria Monk*
Racine, Marcelle, *Éva Bouchard. La légende de Maria Chapdelaine*
Robitaille, Marc, *Des histoires d'hiver, avec des rues, des écoles et du hockey*
Roy, Danielle, *Un cœur farouche* (Prix Robert-Cliche 1996)

Saint-Cyr, Romain, *Belle comme un naufrage*
Saint-Cyr, Romain, *L'impératrice d'Irlande*
Sicotte, Anne-Marie, *Les accoucheuses. T. I: La fierté*
St-Amour, Geneviève, *Passions tropicales*
Tremblay, Allan, *Casino*
Tremblay, Françoise, *L'office des ténèbres*
Turchet, Philippe, *Les êtres rares*
Vaillancourt, Isabel, *Les mauvaises fréquentations*
Vignes, François, *Les compagnons du Verre à Soif*
Villeneuve, Marie-Paule, *Les demoiselles aux allumettes*
Villeneuve, Marie-Paule, *L'enfant cigarier*